어휘목록

KB064076

복습할 때 활용하세요.

각 장을 공부한 후 아직 알쏭달쏭한 어휘의 □ 안에 ✔표 하세요.
해당 쪽수로 돌아가서 어휘를 다시 한번 꼼꼼히 공부하여 확실하게 익혀 봅시다.

초등국어 어휘력 향상을 위한 어휘왕

6-2

이룸이앤비
Education & Books

어휘력이 성장하는 빅뱅 시기, 초등 6년!

어느 언어학자의 연구 결과에 따르면,

학생들의 키는 보통 사춘기에 폭풍 성장하는데,

어휘력은 그보다 더 이른 초등 시기에 폭발적으로 늘어난다고 합니다.

보통 초등학교에 입학하기 전 아이들의 어휘력 수준은

약 5,000 단어를 아는 데 불과합니다.

그런데 **초등학교 6년의 과정을 거치면서 약 40,000 단어 이상을 습득하게 됩니다.**

초등 시기에 매년 6,000 단어 이상의 새로운 어휘를 습득하게 되는 셈입니다.

매우 놀라운 사실은 일반 사람들이 원만한 사회생활을 하는 데

필요한 어휘의 85%를 바로 초등 시기에 익히게 된다는 점입니다.

그래서 **초등학생 때를 "어휘의 빅뱅* 시기"**라고 부르기도 합니다.

(빅뱅이라는 말은 우주가 어느 날 폭발적으로 팽창하면서 커지게 되었다는 학설입니다.)

이러한 빅뱅 시기에 어휘 학습을 제대로 해 놓아야 그 효과를 톡톡히 볼 수 있겠지요?

혹여나 '어휘 학습은 그냥 국어 공부잖아, 다음에 봐서 학원에 보내면 되겠지.'

라고 생각하면 큰 오산입니다.

어휘의 빅뱅 시기를 너무 안일하게 생각하면 때는 늦습니다.

공부가 때가 있다는 말들을 하지요?

이는 뇌 구조상 쉽게 기억되고 받아들이는 때가 있다는 말입니다.

많은 양을 공부할 필요는 없습니다.

하루에 20~25개 정도의 어휘만 꾸준히 학습하면 됩니다.

'초등국어 어휘왕'은 바로 어휘의 빅뱅 시기를 맞이한 초등학생 여러분의 어휘력을

성장시켜 줄 좋은 친구가 될 것입니다.

초등국어 어휘왕의 특장점은?

1 교과서에 나오는 주요 어휘를 학습할 수 있습니다.

초등 교과서에만 약 3만 개가 넘는 어휘가 수록되어 있어요. 교과서는 학생에게 가장 유익하고 체계적인 학습 교재라는 점을 고려해 볼 때, 초등 교과서로 어휘 학습을 시작하는 것은 매우 합리적인 방법이라고 할 수 있습니다. '초등국어 어휘왕'은 초등학교 교과서에 수록된 어휘들을 단원별로 정리하여 문제로 제시하고 있어요.

2 적절한 분량으로 학습 스케줄을 짤 수 있습니다.

초등학생이 집중해서 학습할 수 있는 시간은 약 20~30분 정도예요. 너무 많은 양을 한꺼번에 학습하려다 보면 부담을 느낄 수 있어요. '초등국어 어휘왕'은 단원별 어휘들을 조금씩 꾸준히 학습할 수 있도록 학습 일차를 구분해 두었어요.

3 다양한 유형의 문제로 재미있게 어휘를 익힐 수 있습니다.

어휘를 단순히 암기하는 방식은 학습 효율 면에서 좋지 않습니다. '초등국어 어휘왕'은 문제를 통해 자연스럽게 어휘의 의미를 익힐 수 있도록 하였어요. 또한 반복되는 지루한 학습 패턴이 아닌, 여러 가지 다양한 유형을 통해 학습할 수 있도록 구성하고 있어요.

4 부모님이 자녀를 지도할 수 있는 자료로 활용할 수 있습니다.

풍부한 어휘력을 갖추려면, 꾸준한 학습과 노력이 뒤따라야 합니다. 학생이 꾸준하게 어휘를 공부할 수 있도록 하는 데에는 부모님의 역할이 매우 중요합니다. '초등국어 어휘왕'은 이러한 고민을 바탕으로, 다양한 놀이 형태의 문제들을 학생과 부모가 함께 해 나갈 수 있도록 만들었습니다. 부모님은 해설집을 통해 부분적으로 필요한 내용들을 지도 자료로 활용할 수 있습니다.

다양한 학습 요소

초등국어 어휘왕, 재밌고 다양한 문제로 공부해요.

1. 새로운 어휘 학습

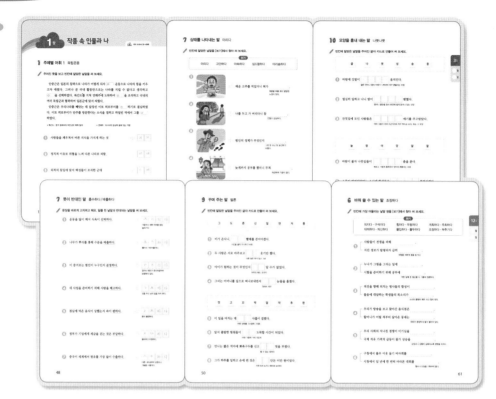

〈단원별 주요 어휘〉, 〈주제별 어휘〉, 〈합쳐진 말〉, 〈태도·동작을 나타내는 말〉, 〈꾸며 주는 말〉, 〈소리나 모양을 흉내 내는 말〉, 〈단위를 나타내는 말〉, 〈바꿔 쓸 수 있는 말〉, 〈뜻이 반대인 말〉 등의 새롭고 낯선 어휘들을 학습해 보세요.

2. 기초 맞춤법

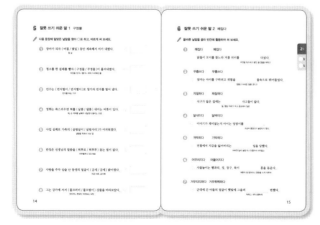

〈잘못 쓰기 쉬운 말〉, 〈헷갈리기 쉬운 말〉, 〈문장 부호〉 등의 맞춤법에 관련된 올바른 표현을 익혀 보세요.

3 띄어쓰기/원고지 쓰기

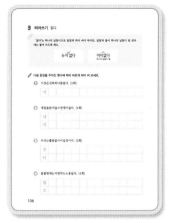

〈띄어쓰기〉를 포함하여
〈원고지 쓰기〉 등의 실제
글 쓰는 방식 등을 점검해
보세요.

4 올바른 발음

표준 발음법에 따른 〈올
바른 발음〉에 대해 학습
해 보세요.

5 문장 표현

〈높임 표현〉, 〈시간 표현〉,
〈부정 표현〉, 〈행동을 하
게 하는 말〉, 〈행동을 당하
는 말〉 등 기초적인 문법
지식을 배워 보세요.

6 타교과 어휘

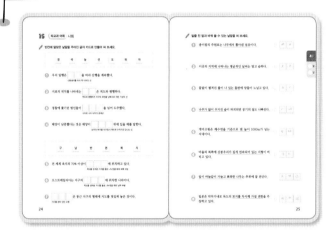

각 학기의 [사회], [과학], [도덕], [수학]의
교과서에 나오는 주요 어휘들을 공부해 보
세요.

7 어휘력을 높이는 확인 학습

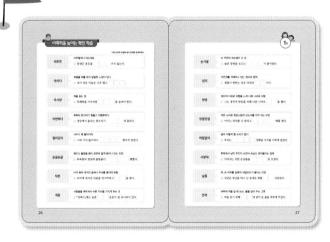

앞에서 공부한 어휘들을 다시 한번 확인해
보면서 확실한 어휘 학습이 되었는지 점검
해 보세요.

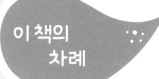

이 책의 차례

계획에 따라 차근차근 공부해요.

[정답 및 해설] ─────────────────────────── 책 속의 책

학생들의 학습을 도와주세요!

기본 학습

일차별로 꾸준하게
공부하게 합니다.

학습 스케줄에 따라 하루에
25~30개의 정도의 낱말을 꾸준하게
공부할 수 있도록
지도하는 것이 좋습니다.

20~30분 집중하여
학습하게 합니다.

시간을 정해 두고
한 번에 집중해서 학습하도록
하는 것이 바람직합니다.

점검 학습

단원별로 공부한 어휘를
점검하게 합니다.

3일차 학습이 끝나는 대로 10분 정도의
시간을 별도로 할애하여 '어휘력을 높이는
확인 학습' 코너를 활용하여 주요 어휘들을
숙지하였는지 확인해야 합니다.

모바일 앱을 통해 학습한
내용을 복습하게 합니다.

본 교재는 모바일에서 '초등국어 어휘왕' 앱을
제공합니다. 이를 다운 받아, 하루에 학습한
낱말을 복습할 수 있도록
지도할 수도 있습니다.

도움 학습

궁금해할 만한
내용은 해설을 보고
직접 설명해 줍니다.

'정답 및 해설'에 알아 두면
유익한 내용들을 이해하기 쉽도록
별도로 설명해 두었습니다.
이를 학생에게 설명하여 이해를
돕는 것이 중요합니다.

1장 작품 속 인물과 나

1 주제별 어휘 1 독립운동

🖉 주어진 뜻을 보고 빈칸에 알맞은 낱말을 써 보세요.

안중근은 일본의 침략으로 나라가 어렵게 되자 ❶ ⬜ 운동으로 나라의 힘을 키우고자 애썼다. 그러나 곧 국내 활동만으로는 나라를 지킬 수 없다고 생각하고 ❷ ⬜ 을 선택하였다. 북간도를 거쳐 연해주에 도착하여 ❸ ⬜ 을 조직하고 국내외 여러 독립군과 협력하여 일본군에 맞서 싸웠다.

안중근은 우리나라를 빼앗는 데 앞장선 이토 히로부미를 ❹ ⬜ 하기로 결심하였다. 이토 히로부미가 만주를 방문한다는 소식을 접하고 하얼빈 역에서 그를 ❺ ⬜ 하였다.

● 북간도 : 중국 동북부의 두만강과 북쪽 일대   ● 연해주 : 러시아의 동남쪽 끝에 있는 지방

❶ 사람들을 깨우쳐서 바른 지식을 가지게 하는 것   ⇨ 겨 모

❷ 정치적 이유로 위협을 느껴 다른 나라로 피함.   ⇨ 마 며

❸ 외적의 침입에 맞서 백성들이 조직한 군대   ⇨ ㅇ 벼

❹ 사람을 몰래 죽이는 것   ⇨ 아 사

❺ 몰래 숨어서 무엇을 겨냥해 총을 쏘는 것   ⇨ 저 겨

2 주제별 어휘 2 학문

옛 선비들은 학문을 닦는 일을 게을리하지 않았어요. 글을 읽고 쓰고, 그림을 그리는 일에 매진하여 정통하는 것을 가장 명예로운 일로 여겼지요.

🖊 빈칸에 알맞은 낱말을 [보기]에서 찾아 써 보세요.

보기

| 견문 | 서재 | 연적 | 탁본 | 후학 | 문하생 | 추사체 |

1 다양한 종류의 책들을 읽으면 [   ]을 넓힐 수 있다.
보거나 듣거나 하여 깨달아 얻은 지식

2 우리는 비석에 새겨진 글씨의 [   ]을 뜨기로 하였다.
비석 등에 새겨진 글씨나 무늬를 종이에 본뜸.

3 아버지는 글을 쓰시느라 한동안 [   ]에서 나오지 않으셨다.
책을 모아 두고, 책을 읽거나 글을 쓰고 공부하는 방

4 그의 명성을 들은 화가 지망생들이 [   ]이 되고자 찾아왔다.
학문이 높은 스승에게서 가르침을 받는 제자

5 붓글씨를 쓸 때 사용한 [   ]은 옥으로 만든 귀한 것이라고 한다.
벼루에 먹을 갈 때 쓰는, 물을 담아 두는 그릇

6 선생님의 글씨는 [   ]에 가까워 획이 예리하고 힘찬 것이 특징이다.
조선 후기의 명필인 추사 김정희의 글씨체

7 올해 은퇴하는 김 교수는 앞으로 [   ]을 기르는 데 온 힘을 쏟을 예정이다.
학문에서의 후배

11

3 자주 쓰는 말 걸음을 떼다

✏️ 빈칸에 알맞은 말을 [보기]에서 찾아 써 보세요.

> **보기**
>
> 걸음을 떼다   눈이 뜨이다   혀를 내두르다   고개를 갸웃하다
> 가슴이 미어지다   간이 오그라들다   어깨를 으쓱거리다

① 선생님의 칭찬에 _____.
　　　　　　　　뽐내고 싶은 기분이나 자랑스러운 기분이 되다.

② 새롭게 발명한 상품으로 사업에 _____.
　　　　　　　　　　　　　준비해 오던 일을 처음으로 하기 시작하다.

③ 그림 공부를 열심히 한 끝에 미술에 _____.
　　　　　　　　　　　　어떤 분야에 능통하게 되다.

④ 고생만 하다가 돌아가신 어머니 생각에 _____.
　　　　　　　　　　　슬픔이나 고통으로 가득 차 견디기 힘들게 되다.

⑤ 산속에서 울려 퍼지는 짐승의 울음소리에 _____.
　　　　　　　　　　　몹시 두려워지거나 무서워지다.

⑥ 평소와는 다른 친구들의 수상한 행동이 궁금하여 _____.
　　　　　　　　　　　무엇에 의문을 가지다.

⑦ 어린 나이에 무거운 물건을 번쩍 들어 올리는 것을 보고 _____.
　　　　　　　　　　몹시 놀라거나 어이없어서 말을 못하다.

4 복수 표준어 메우다/메꾸다

✏️ 밑줄 친 부분에서 표준어 두 개를 찾아 써 보세요.

① 나무줄기에 <u>넝쿨/덩굴/덩쿨</u>이 감겨 있다. ⇨ [ ] = [ ]

② 할아버지의 머리카락이 <u>성기다/성길다/성글다</u>.
사이가 촘촘하지 않고 넓다.
⇨ [ ] = [ ]

③ <u>모쪼록/아모쪼록/아무쪼록</u> 좋은 결과가 있기를 기대합니다.
될 수 있는 대로
⇨ [ ] = [ ]

④ <u>어제/어저께/어제께</u> 먹다가 남은 음식을 냉장고에서 꺼내 먹었다.
오늘의 바로 하루 전에
⇨ [ ] = [ ]

⑤ <u>여태껏/여때껏/입때껏</u> 아무도 나의 잘못을 지적하는 사람이 없었다.
지금까지
⇨ [ ] = [ ]

⑥ 여인은 남편이 가는 모습을 <u>멀찌기/멀찌가니/멀찌감치</u> 떨어져 지켜보았다.
사이가 꽤 떨어지게
⇨ [ ] = [ ]

⑦ 그의 답변은 애매하고 <u>두리뭉실하다/두리뭉술하다/두루뭉술하다</u>.
확실하거나 분명하지 않다.
⇨ [ ] = [ ]

5 잘못 쓰기 쉬운 말 1 구정물

✏️ 다음 문장에 알맞은 낱말을 찾아 ○표 하고, 바르게 써 보세요.

1 장마가 되자 (며칠 / 몇일) 동안 계속해서 비가 내렸다. ➡️
　　　　　　 몇 날

2 청소를 한 걸레를 빨자 (구정물 / 꾸정물)이 흘러내렸다. ➡️
　　　　　　　　　　무엇을 씻거나 빨거나 하여 더러워진 물

3 민수는 (먼지털이 / 먼지떨이)로 창가의 먼지를 털어 냈다. ➡️
　　　　　　 먼지를 떠는 기구

4 영희는 쑥스러우면 혀를 (날름 / 낼름) 내미는 버릇이 있다. ➡️
　　　　　　　　　혀, 손 따위를 날쌔게 내밀었다 들이는 모양

5 사업 실패로 가족의 (살림살이 / 살림사리)가 어려워졌다. ➡️
　　　　　　　　　 살림을 차려서 사는 일

6 반장은 선생님의 말씀을 (허투로 / 허투루) 듣는 법이 없다. ➡️
　　　　　　　　　 아무렇게나 되는대로

7 사탕을 주자 심술 난 동생의 얼굴이 (금새 / 금세) 밝아졌다. ➡️
　　　　　　　　　　　지금 바로. 금시에

8 그는 강가에 서서 (물끄러미 / 물끄럼이) 강물을 바라보았다. ➡️
　　　　　　　　　우두커니 한곳만 바라보는 모양

14

6 잘못 쓰기 쉬운 말 2 헤집다

✏️ 올바른 낱말을 골라 빈칸에 활용하여 써 보세요.

① 해집다   헤집다

⇨ 닭들이 모이를 찾느라 거름 더미를 ＿＿＿＿＿ 다녔다.
　　　　　　　　　　　　　무엇을 찾으려고 쌓인 물건들을 헤치고

② 무릅쓰다   무릎쓰다

⇨ 엄마는 아이를 구하려고 위험을 ＿＿＿＿＿ 물속으로 뛰어들었다.
　　　　　　　　　　　　힘들고 어려운 일을 견디고

③ 자잘하다   짜잘하다

⇨ 식구가 많은 집에는 ＿＿＿＿＿ 사고들이 많다.
　　　　　　　　일, 행동 따위가 작고 중요하지 않은

④ 달삭이다   달싹이다

⇨ 이야기가 재미없는지 아이는 엉덩이를 ＿＿＿＿＿.
　　　　　　　　　　　　　　조금씩 들었다가 놓았다가 했다.

⑤ 귀막히다   기막히다

⇨ 전철에서 지갑을 잃어버리는 ＿＿＿＿＿ 일을 당했다.
　　　　　　　　　　어떠한 일이 놀랍거나 언짢아서 어이없는

⑥ 어우러지다   어울어지다

⇨ 사물놀이는 꽹과리, 징, 장구, 북이 ＿＿＿＿＿ 흥을 돋운다.
　　　　　　　　　　　　　여럿이 한 덩어리나 한판을 크게 이루어

⑦ 거무티티하다   거무튀튀하다

⇨ 군대에 간 아들의 얼굴이 햇빛에 그을려 ＿＿＿＿＿ 변했다.
　　　　　　　　　　　　탁하고 거무스름하게

15

7 상태를 나타내는 말 아리다

✏️ 빈칸에 알맞은 낱말을 [보기]에서 찾아 써 보세요.

보기

아리다　　고단하다　　야속하다　　심드렁하다　　아리송하다

1

➡️ 매운 고추를 먹었더니 혀가 _____.

　　　　　허끝을 찌를 듯이 알알한
　　　　　느낌이 있다.

2

➡️ 나를 두고 가 버리다니 참 _____.

　　　　　언짢고 섭섭하다.

3

➡️ 범인의 정체가 무엇인지 _____.

　　　　　그런 듯 아닌 듯 분간하기
　　　　　어렵다.

4

➡️ 늦게까지 공부를 했더니 무척 _____.

　　　　　피곤하여 기운이 없다.

5

➡️ 놀러 가자는 내 말에 친구의 반응이 _____.

　　　　　마음에 탐탁지 않고
　　　　　관심이 거의 없다.

8 한자어 량(量)

'량(量)'은 '헤아리다'의 뜻을 가진 한자예요. 낱말의 뒤에 붙어 수량, 분량 등의 의미를 나타내요.

✏️ 주어진 뜻에 알맞은 낱말을 써 보세요.

1 책을 읽는 양 ⇨ | ㄷ | ㅅ | 량 |

2 농작물을 거두어들인 양 ⇨ | ㅅ | 화 | 량 |

3 어떤 일에 익숙해지도록 훈련한 양 ⇨ | ㅇ | ㅅ | 량 |

4 일정한 기간에 상품 따위를 파는 양 ⇨ | 파 | ㅁ | 량 |

5 지하자원 따위가 땅속에 묻혀 있는 분량 ⇨ | ㅁ | 자 | 량 |

6 어떠한 물건이 일정 기간에 생산되는 분량 ⇨ | ㅅ | ㅅ | 량 |

7 비, 눈 등으로 일정 기간 동안 일정한 곳에 내린 물의 총량 ⇨ | 가 | ㅅ | 량 |

8 일정한 곳을 일정한 시간에 오고가는 사람이나 차량의 수량 ⇨ | ㄱ | 토 | 량 |

9 바꿔 쓸 수 있는 말 고적하다

🖊 빈칸에 가장 어울리는 낱말 쌍을 [보기]에서 찾아 형태에 맞게 써 보세요.

보기

고적하다 – 적막하다   기절하다 – 혼절하다   답답하다 – 갑갑하다
의젓하다 – 늠름하다   희미하다 – 아련하다

1
┌ 아무도 없는 휑한 집 안은 ☐☐ 하 다 .

└ 온통 눈으로 뒤덮인 마을은 ☐☐ 하 다 .
　　　　　　　　　　　고요하고 쓸쓸하다.

2
┌ 아이는 어린 나이에도 불구하고 ☐☐ 하 다 .

└ 나라를 지키는 군인들의 모습이 ☐☐ 하 다 .
　　　　　　　　　　　생김새나 태도가 무게가 있고 당당하다.

3
┌ 그와 도통 말이 통하지 않으니 ☐☐ 하 다 .

└ 하루 종일 좁은 방에만 있으려니 ☐☐ 하 다 .
　　　　　　　　　　　꽉 막힌 느낌이 있다.

4
┌ 멀리서 기적 소리가 ☐☐ 하 게 들렸다.

└ 멀리서 나를 부르는 소리가 ☐☐ 하 게 들려왔다.
　　　　　　똑똑히 분간하기 힘들고 아렴풋하게

5
┌ 그녀는 남편의 사고 소식을 듣고서 ☐☐ 했 다 .

└ 장례식에서 어머니는 죽은 아들의 이름을 부르며 ☐☐☐ 했 다 .
　　　　　　　　　　　정신이 아찔하여 까무러쳤다.

18

10 모양을 흉내 내는 말 나붓나붓

✏️ 빈칸에 알맞은 낱말을 주어진 글자 카드로 만들어 써 보세요.

| 골 | 나 | 붓 | 성 | 송 | 옹 |

1 바람에 깃발이 ☐☐☐☐ 움직인다.
얇은 천이나 종이 따위가 나부끼어 자꾸 흔들리는 모양

2 열심히 일하고 나니 땀이 ☐☐☐☐ 맺혔다.
땀이나 물방울 등이 표면에 잘게 돋아나 있는 모양

3 잔칫집에 모인 사람들은 ☐☐☐☐ 얘기를 주고받았다.
여러 사람이 모여 수군거리며 자꾸 떠드는 소리. 또는 그 모양

| 늘 | 랑 | 아 | 앙 | 잘 | 찰 |

4 바람이 불자 나뭇잎들이 ☐☐☐☐ 춤을 춘다.
빠르고 가볍게 춤추듯이 잇따라 흔들리는 모양

5 소풍이 연기되었다는 소식에 학생들은 ☐☐☐☐ 투덜거렸다.
작은 소리로 원망스럽게 군소리를 자꾸 내는 모양

6 그녀가 고개를 돌리자 단발머리가 ☐☐☐☐ 윤기 있게 빛났다.
물결치는 것처럼 가볍게 흔들리는 모양

11 꾸며 주는 말 수없이

✏️ 빈칸에 [보기]의 말을 더해 꾸며 주는 말을 완성해 보세요.

보기

| 한 | 수 | 다름 | 뜬금 | 거침 | 틀림 | 하릴 |

1 ⬜ 없 이 많은 별들이 밤하늘을 수놓고 있다.
헤아릴 수 없을 만큼 그 수가 많이

2 아이는 선생님의 물음에 ⬜ ⬜ 없 이 대답했다.
일이나 행동 따위가 중간에 걸리거나 막힘이 없이

3 그가 결혼식에 ⬜ ⬜ 없 이 나타나 훼방을 놓았다.
갑작스럽고도 엉뚱하게

4 미세 먼지가 심해 ⬜ ⬜ 없 이 집에만 박혀 있었다.
달리 어떻게 할 도리가 없이

5 ⬜ 없 이 넓은 바다에는 무수히 많은 생물들이 살고 있다.
끝이 없이

6 이번에는 우리 반 학생들이 ⬜ ⬜ 없 이 이길 것이다.
조금도 어긋나는 일이 없이

7 청소부 아저씨는 평소와 ⬜ ⬜ 없 이 아침 일찍 동네를 쓸고 계셨다.
견주어 보아 같거나 비슷하게

12 띄어쓰기 은(는)커녕

'은(는)커녕'은 앞말을 지정하여 어떤 사실을 부정하는 뜻을 강조하는 말이에요. 홀로 쓰일 수 없고 다른 말을 도와주는 역할을 하므로 앞말과 붙여 써야 해요.

눈은커녕 비도 오지 않는다.

✏️ 다음 문장을 주어진 횟수에 따라 바르게 띄어 써 보세요.

1 네애기는감동은커녕재미도없다. (4회)

네											
미											

2 오늘은밥은커녕죽도먹지못했다. (4회)

오											
지											

3 포수는멧돼지는커녕토끼도못잡았다. (4회)

포												
도												

13 낱말 퀴즈

✏️ 빈칸에 알맞은 낱말을 써서 문장을 완성해 보세요.

① 한석봉은 조선 제일의 [며] [피] 이다.
글씨 잘 쓰기로 이름난 사람

② 꽃이 피고 지는 것은 자연의 [서] [ㄹ] 이다.
자연계를 지배하고 있는 원리와 법칙

③ 친구는 물건을 고르는 [아] [모] 이 뛰어나다.
사물을 보고 분별하는 능력

④ 순간 어머니를 떠올린 그는 [ㄴ] [시] [우] 이 붉어졌다.
눈 주변의 속눈썹이 난 곳

⑤ 훌륭한 사람은 [ㅅ] [소] [적] 가치보다 정신적 가치를 추구한다.
세상의 일반적인 풍속을 따르는. 또는 그런 것

⑥ 무슨 일이든 높은 [겨] [ㅈ] 에 이르려면 연습과 훈련이 필요하다.
몸이나 마음, 기술 등이 어떤 단계에 도달해 있는 상태

⑦ 나라가 망했다는 소식이 전해지자 사람들의 입에서 [타] [시] 이 흘러나왔다.
한탄하여 한숨을 쉼. 또는 그 한숨

14 십자말풀이

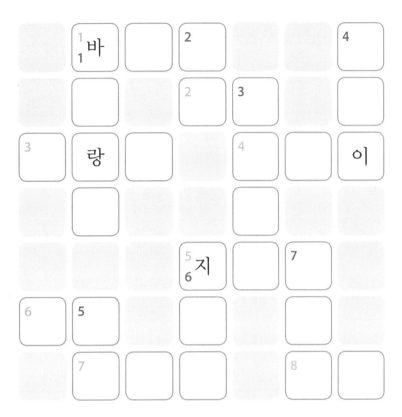

가로 열쇠

1. 공공 또는 사회사업의 자금을 모으기 위하여 벌이는 시장
2. 그림을 모아 엮은 책
3. 한옥에서 남자 주인이 쓰면서 손님도 맞아들이는 집채
4. 여러 겹으로 겹쳐 있는 모양
5. 유럽, 아시아, 아프리카 세 대륙에 둘러싸인 바다
6. 안경이나 망원경, 현미경 따위를 이용하지 아니하고 직접 보는 눈
7. 드러나지 않게 살며시
8. 수준이나 솜씨가 어느 정도에 이르렀음을 나타내는 말

세로 열쇠

1. 빨랫줄을 받치는 긴 막대기
2. 미술의 한 분야로서의 그림
3. 여러 산이 겹치고 겹친 산속
4. 모자람이 없이 온전하게
5. 두 눈썹 사이에 잡히는 주름
6. 슬며시 힘을 주는 모양
7. 병적으로 높아진 체온을 정상으로 내리게 하는 약

타교과 어휘 사회

빈칸에 알맞은 낱말을 주어진 글자 카드로 만들어 써 보세요.

| 경 | 국 | 능 | 선 | 오 | 위 | 자 |

❶ 우리 일행은 ☐☐ 을 따라 산행을 계속했다.
산등성이를 따라 죽 이어진 선

❷ 지표의 위치를 나타내는 ☐☐ 은 적도와 평행하다.
적도에 평행하게 지구의 표면을 남북으로 자른 가상의 선

❸ 경찰에 쫓기던 범인들이 ☐☐☐ 을 넘어 도주했다.
나라와 나라 사이의 경계선

❹ 태양이 남중했다는 것은 태양이 ☐☐☐ 위에 있을 때를 말한다.
남극과 북극을 이으면서 적도와 수직으로 만나는 선

| 구 | 남 | 반 | 본 | 북 | 지 |

❺ 전 세계 육지의 70% 이상이 ☐☐☐ 에 위치하고 있다.
적도를 경계로 지구를 둘로 나누었을 때의 북쪽 부분

❻ 오스트레일리아는 지구의 ☐☐☐ 에 위치한 나라이다.
적도를 경계로 지구를 둘로 나누었을 때의 남쪽 부분

❼ ☐☐☐ 은 둥근 지구의 형태에 지도를 덧입혀 놓은 것이다.
지구를 본떠 만든 모형

밑줄 친 말과 바꿔 쓸 수 있는 낱말을 써 보세요.

1 종이컵의 주원료는 <u>나무에서 뽑아낸 섬유</u>이다. ⇨ | 퍼 | 프 |

2 이곳의 <u>지역에 나타나는 평균적인 날씨</u>는 덥고 습하다. ⇨ | ㄱ | ㅎ |

3 끝없이 펼쳐진 <u>풀이 나 있는 들판</u>에 양들이 노닐고 있다. ⇨ | ㅊ | ㅇ |

4 <u>나무가 많이 우거진 숲</u>이 파괴되면 공기의 질도 나빠진다. ⇨ | ㅅ | 리 |

5 개마고원은 <u>해수면을 기준으로 잰 높이</u> 1000m가 넘는 지대이다. ⇨ | ㅎ | 바 |

6 마을의 북쪽에 <u>산봉우리가 길게 연속되어 있는 지형</u>이 버티고 있다. ⇨ | 사 | ㅁ |

7 잎이 바늘같이 가늘고 <u>뾰족한 나무</u>는 추위에 잘 견딘다. ⇨ | ㅊ | 여 | 수 |

8 일본은 막무가내로 독도의 <u>토지를 차지해 가질 권한</u>을 주장하고 있다. ⇨ | 여 | ㅇ | 궈 |

다음 빈칸에 낱말을 넣어 문장을 완성하세요.

허투루

아무렇게나 되는대로

예 동생은 용돈을 ☐☐☐ 쓰지 않는다.

아리다

혀끝을 찌를 듯이 알알한 느낌이 있다.

예 내가 먹은 마늘은 너무 맵고 ☐☐☐.

독서량

책을 읽는 양

예 독해력을 키우려면 ☐☐☐을 늘려야 한다.

아련하다

똑똑히 분간하기 힘들고 아렴풋하다.

예 성당에서 울리는 종소리가 ☐☐☐게 들린다.

멀찌감치

사이가 꽤 떨어지게

예 그와 가지 않으려고 ☐☐☐☐ 떨어져 걸었다.

송골송골

땀이나 물방울 등이 표면에 잘게 돋아나 있는 모양

예 목욕탕의 천장에 물방울이 ☐☐☐☐ 맺혔다.

탁본

비석 등에 새겨진 글씨나 무늬를 종이에 본뜸.

예 묘비에 새겨진 내용을 연구하려고 ☐☐을 떴다.

계몽

사람들을 깨우쳐서 바른 지식을 가지게 하는 것

예 『상록수』에는 농촌 ☐☐ 운동이 잘 묘사되어 있다.

눈시울
눈 주변의 속눈썹이 난 곳
예 슬픈 장면을 보고는 □□□이 붉어졌다.

섭리
자연계를 지배하고 있는 원리와 법칙
예 계절이 변하는 것은 자연의 □□이다.

망명
정치적 이유로 위협을 느껴 다른 나라로 피함.
예 그는 정치적 탄압을 피해 다른 나라로 □□을 했다.

앙잘앙잘
작은 소리로 원망스럽게 군소리를 자꾸 내는 모양
예 아이는 과자를 사 달라고 □□□□□ 떼를 썼다.

하릴없이
달리 어떻게 할 도리가 없이
예 우리는 □□□□ 상황을 지켜볼 수밖에 없었다.

사랑채
한옥에서 남자 주인이 쓰면서 손님도 맞아들이는 집채
예 아버지는 귀한 손님들을 □□□로 모셨다.

날름
혀, 손 따위를 날째게 내밀었다가 들이는 모양
예 짓궂은 장난을 하고 난 동생은 혀를 □□ 내밀었다.

연적
벼루에 먹을 갈 때 쓰는, 물을 담아 두는 그릇
예 먹을 갈기 위해 □□에 담아 둔 물을 벼루에 부었다.

2장 관용 표현을 활용해요

1 관용어와 속담

관용 표현에는 관용어와 속담 등이 있어요. 관용어는 하나의 어휘처럼 기능하며, 속담은 지혜와 교훈을 담고 있다는 점에서 차이가 있어요.

✏️ 다음 관용 표현을 관용어와 속담으로 나누어 써 보세요.

> 산 입에 거미줄 치랴.
>
> 식은 죽 먹기
>
> 남의 말 하기는 식은 죽 먹기
>
> 믿는 도끼에 발등 찍힌다.
>
> 입에 거미줄 치다.
>
> 꼬리가 길면 밟힌다.
>
> 꼬리가 길다.
>
> 발등을 찍히다.

관용어

- -------------------------------
  못된 짓을 오래 두고 계속하다.

- -------------------------------
  남에게 배신을 당하다.

- -------------------------------
  쉽게 할 수 있다.

- -------------------------------
  가난하여 먹지 못하고 오랫동안 굶다.

속담

- -------------------------------
  나쁜 일도 계속하면 결국에 들키고 만다.

- -------------------------------
  믿는 사람이 배반하여 오히려 해를 입는다.

- -------------------------------
  남의 잘못을 꼬집어내어 말하기는 매우 쉽다.

- -------------------------------
  살림이 어려워도 그럭저럭 먹고 살아가게 된다.

2 한자어 운(運), 독(獨), 설(說)

✏️ 밑줄 친 낱말들 중 주어진 한자가 쓰이지 않은 것을 찾아 ✔표 하세요.

① 運
옮길 **운**

☐ 지나친 <u>운동</u>은 건강에 해롭다.
　　　건강을 위해 몸을 움직이는 활동

☐ 이 열차는 당분간 <u>운행</u>하지 않는다.
　　　　　　　차 등이 정해진 길로 다님.

☐ 마을 운동장에 많은 주민들이 <u>운집</u>했다.
　　　　　　　　　　많은 사람들이 모여 듦.

☐ <u>운전</u>을 할 때에는 사방을 주시해야 한다.
　차나 기계를 움직이고 조정하는 것

② 獨
홀로 **독**

☐ 너 같은 <u>독종</u>은 세상에 없다.
　　　　성질이 매우 독하고 냉정한 사람

☐ 할머니는 <u>독학</u>으로 공부하여 대학에 입학했다.
　　　　　학교에 다니지 않고 혼자 공부하는 것

☐ 그는 학문에 집중하느라 평생 <u>독신</u>으로 지냈다.
　　　　　　　　　　배우자 없이 혼자 사는 것

☐ 왕의 <u>독재</u>에 맞서 백성들이 벌떼같이 들고 일어났다.
　개인이 정치권력을 마음대로 행사하는 것

③ 說
말씀 **설**

☐ 그가 제시한 <u>가설</u>은 십 년 만에 증명되었다.
　　　증명하기에 앞서 임시로 세운 이론

☐ 사람들은 그녀의 <u>연설</u>을 듣고 감명을 받았다.
　　　　많은 사람들 앞에서 긴 말로 발표하는 것

☐ 이 책의 뒷부분에는 문제에 대한 <u>해설</u>이 실려 있다.
　　　　　　　　뜻이나 의미를 쉽게 설명하는 것

☐ 행동을 조심하지 않으면 다른 사람의 <u>구설</u>에 오르게 된다.
　　　　　　　시비하거나 헐뜯는 말

3 신체와 관련된 관용어

✏️ 빈칸에 알맞은 말을 [보기]에서 찾아 활용하여 써 보세요.

보기

간이 크다	간이 타다	간이 떨어질 뻔하다	간이 콩알만 해지다

1 갑작스런 폭발음에 _____.
　　　　　　　　　　　　　매우 놀랐다.

2 덜컥 이 비싼 물건을 구입하다니 _____.
　　　　　　　　　　　　　　　　겁이 없고 매우 대담하다.

3 아버지의 호된 꾸지람에 _____.
　　　　　　　　　　　　　몹시 두려워지거나 무서워졌다.

4 어제 출발한 일행이 도착하지 않아서 모두들 _____ 얼굴이었다.
　　　　　　　　　　　　　　　　　　　너무 근심스럽고 안타까워하는

보기

눈에 차다	눈에 밟히다	눈에 불을 켜다	눈에 흙이 들어가다

5 그는 돈이 생기는 일이라면 _____.
　　　　　　　　　　　　　몹시 욕심을 내거나 관심을 기울인다.

6 김 씨는 고향에 두고 온 가족이 _____.
　　　　　　　　　　　　　잊혀지지 않고 자꾸 눈에 떠올랐다.

7 _____ 물건이 없으니 다른 곳으로 가 보자.
　　흡족하게 마음에 드는

8 내 _____ 전에는 두 사람의 결혼을 허락할 수 없다.
　　　　죽어서 땅에 묻히기

보기

| 어깨를 펴다 | 어깨를 견주다 | 어깨를 낮추다 | 어깨를 짓누르다 |

⑨ 이 분야에서 나와 _____ 만한 인물은 찾기 어렵다.
　　　　　　　　　　서로 비슷한 지위나 힘을 가질

⑩ 우리 부장님은 아랫사람에게 _____ 줄 아는 사람이다.
　　　　　　　　　　　　　　겸손하게 자기를 낮출

⑪ 점원은 무리한 고객의 요구에 _____ 당당하게 맞섰다.
　　　　　　　　　　　　　생각이나 뜻을 굽히지 않고

⑫ 사업에 실패하자, 가족을 책임져야 한다는 부담이 그의 _____.
　　　　　　　　　　　　　　　　　　　　　　　　의무나 책임이 중압감을 주었다.

보기

| 발이 넓다 | 발이 익다 | 발이 뜸하다 | 발이 저리다 |

⑬ 내 실수로 사고가 발생한 것 같아서 왠지 _____.
　　　　　　　　　　　　　　　　　지은 죄가 있어 마음이 편안하지 않다.

⑭ 좋지 않은 소문 때문에 매장을 찾는 손님들의 _____.
　　　　　　　　　　　　　　　　　　　자주 다니던 것이 한동안 머춤하다.

⑮ 김 과장은 업계 사람들을 대부분 알고 있을 정도로 _____.
　　　　　　　　　　　　　　　　　　　　　　사귀어 아는 사람이 많다.

⑯ 우리는 학교 가는 길에 _____ 눈을 감고도 갈 수가 있다.
　　　　　　　　　여러 번 다녀서 길에 익숙하여

4 생활과 관련된 관용어

🖉 빈칸에 들어갈 낱말 쌍을 [보기]에서 찾아 써 보세요.

보기

하루 – 번   입 – 게거품   눈 – 천불   입 – 침

두말 – 잔소리   물 – 제비   그림 – 떡

1 동생은 (＿＿＿＿＿)에도 열두 (＿＿＿＿＿＿＿) 거짓말을 한다.
　　　　　　　　　　매우 자주

2 영화가 정말 재밌냐고? (＿＿＿＿＿)하면 (＿＿＿＿＿)이다.
　　　　　　　　　이미 말한 내용이 틀림없으므로 더 말할 필요가 없다.

3 배탈이 난 네게 이 잔치 음식은 (＿＿＿＿＿)의 (＿＿＿＿＿)이구나.
　　　　　　　　　　마음에 들어도 이용할 수 없거나 차지할 수 없는 경우

4 두 사람이 흥분해서 (＿＿＿＿＿)에 (＿＿＿＿＿)을 물고 싸우고 있다.
　　　　　　　　　　몹시 흥분하여 떠들어 대며

5 그가 내 흉을 보고 다닌다는 말을 들으니 (＿＿＿＿＿)에 (＿＿＿＿＿)이 난다.
　　　　　　　　　　　　　　　몹시 거슬리거나 화가 난다.

6 동훈이는 축구 경기에서 (＿＿＿＿＿) 찬 (＿＿＿＿＿)같이 수비수를 제치고 공을 몰았다.
　　　　　　　동작이 민첩하고 깔끔하여 보기 좋은 행동을 하는 경우

7 이 시간에는 (＿＿＿＿＿)에 (＿＿＿＿＿) 바른 소리 할 것 없이 하고 싶었던 말을 해 보자.
　　　　　　겉만 번지르르하게 꾸미어 듣기 좋게 함.

5 관용어 퀴즈

✏️ 밑줄 친 말을 문장에 어울리도록 바르게 고쳐 써 보세요.

1 너는 <u>오지랖이 커서</u> 간섭이 심하다. ⇨ ------------------------------
지나치게 참견하는 면이 있어서

2 그는 아무것도 모르는 척 <u>시치미를 붙였다</u>. ⇨ ------------------------------
하고도 아니한 체, 알고도 모르는 체했다.

3 네가 일찍 일어나다니, <u>동쪽에서 해가 뜨겠다</u>. ⇨ ------------------------------
전혀 있을 수 없는 일이다.

4 선생님은 거짓을 용납하지 않겠다고 <u>못을 쳤다</u>. ⇨ ------------------------------
꼭 집어 분명하게 했다.

5 무턱대고 물건을 사는 바람에 <u>바가지를 당했다</u>. ⇨ ------------------------------
값을 비싸게 지불하여 손해를 보았다.

6 나는 <u>발바닥 뒤집듯</u> 변덕 심한 사람을 싫어한다. ⇨ ------------------------------
태도를 갑자기 바꾸기를 아주 쉽게

7 세상은 <u>물안경을 쓰고</u> 보면 좋은 것도 나쁘게 보인다. ⇨ ------------------------------
좋지 않은 감정이나 선입견을 가지고

33

6 사자성어와 비슷한 뜻의 속담

🖊 주어진 사자성어와 비슷한 뜻의 속담을 골라 써 보세요.

달면 삼키고 쓰면 뱉는다.	외손뼉이 소리 날까.
도랑 치고 가재 잡는다.	고생 끝에 낙이 온다.
	방귀 뀐 놈이 성낸다.

1 일석이조(一石二鳥)   동시에 두 가지 이득을 봄.

⇨ --------------------------------------

2 고진감래(苦盡甘來)   고생 뒤에는 즐거움이 옴.

⇨ --------------------------------------

3 고장난명(孤掌難鳴)   혼자의 힘만으로 어떤 일을 이루기 어려움.

⇨ --------------------------------------

4 감탄고토(甘呑苦吐)   자기가 내키는 대로 일의 옳고 그름을 판단함.

⇨ --------------------------------------

5 적반하장(賊反荷杖)   잘못한 사람이 아무 잘못도 없는 사람을 나무람.

⇨ --------------------------------------

7 소와 관련된 속담

🖊 주어진 뜻에 가장 알맞은 속담을 찾아 써 보세요.

> 쇠뿔도 단김에 빼라.　　　소 잃고 외양간 고친다.
>
> 소 궁둥이에다 꼴을 던진다.
>
> 소도 언덕이 있어야 비빈다.　　　쇠귀에 경 읽기
>
> 닭 소 보듯, 소 닭 보듯

1 아무리 힘쓰고 밑천을 들여도 보람이 없음.

⇨ --

2 이미 잘못된 뒤에는 손을 써도 소용이 없음.

⇨ --

3 아무리 가르치고 일러 주어도 알아듣지 못함.

⇨ --

4 서로 아무런 관심도 두지 않고 있는 사이임을 이름.

⇨ --

5 누구나 의지할 곳이 있어야 무슨 일이든 시작하거나 이룰 수가 있음.

⇨ --

6 어떤 일이든지 하려고 마음먹었으면 망설이지 말고 행동으로 옮겨야 함.

⇨ --

8 상황에 어울리는 속담

✎ 그림 속 상황을 보고, 빈칸에 들어갈 속담을 [보기]에서 찾아 써 보세요.

보기

뛰어야 벼룩　　　　　　　　천 리 길도 한 걸음부터
세 살 버릇 여든까지 간다　　　벼 이삭은 익을수록 고개를 숙인다

①

잘도 도망가는구나. 그래 봤자 ⬜⬜⬜이다.

➡ _____

→ 도망쳐 보아야 크게 벗어날 수 없다는 말

②

⬜⬜⬜더니, 어려서 다리 떨던 습관은 여전하구나.

➡ _____

→ 어릴 때 몸에 밴 버릇은 커서도 고치기 힘들다는 말

③

⬜⬜⬜던데, 그 사람은 맨날 자기 자랑만 하는구나.

➡ _____

→ 교양이 있고 수양을 쌓은 사람일수록 겸손하다는 말

④

⬜⬜⬜라고 했어. 공부할 건 많지만 차근차근 꾸준하게 하는 것이 중요해.

➡ _____

→ 무슨 일이나 그 일의 시작이 중요하다는 말

보기

백지장도 맞들면 낫다	번갯불에 콩 볶아 먹겠다
남의 손의 떡은 커 보인다	가는 말이 고와야 오는 말이 곱다

5

요리를 그렇게 서둘러서야, 원. ☐☐☐.

→ 행동이 매우 민첩함을 이르는 말

6

☐☐☐더니, 내 음식을 탐내는구나.

→ 같은 물건이라도 남의 것이 제 것보다 더 좋아 보인다는 말

7

☐☐☐더니, 함께 짐을 옮기니까 한결 수월하구나.

→ 쉬운 일이라도 협력하여 하면 훨씬 쉽다는 말

8

☐☐☐라고, 네가 그렇게 말하는데 나라고 참을 수 없지.

→ 남에게 말이나 행동을 좋게 해야 남도 자기에게 좋게 한다는 말

9 타교과 어휘 과학

✏️ 주어진 뜻을 참고하여 빈칸에 알맞은 글자를 써 보세요.

1 ㉠ 전기 회로에서 발전기, 전지 등을 일렬로 연결하는 것
　㉡ 전기 회로에서 발전기, 전지 등을 같은 극끼리 연결하는 것

2 ㉢ 두 전극 사이에 전류가 흐르고 있을 때 흐름이 시작되는 곳
　㉣ 두 전극 사이에 전류가 흐르고 있을 때 전류가 흘러가는 극

3 ㉤ 두 물체를 죄거나 붙이는 데 쓰는, 각 모양의 머리를 가진 나사
　㉥ 두 물체를 죄거나 붙이는 데 쓰는, 가운데 둥근 나사 구멍을 가진 쇳조각

4 ㉦ 금, 은같이 열이나 전기 등이 잘 통하는 물체
　㉧ 유리, 솜, 석면같이 열이나 전기가 통하지 않는 물체

38

✏️ 빈칸에 알맞은 낱말을 써서 문장을 완성해 보세요.

① 환경 보호를 위해서는 친 ㅎ ㄱ 제품을 사용해야 한다.
환경을 훼손하지 않고 조화를 이루는 것

② 최신식 휴대 전화에는 무선 ㅊ 저 기술이 적용되어 있다.
전지에 전기를 모아 둠.

③ 여 기 ㄱ 가 하늘 위로 떠오르자 사람들은 환호성을 질렀다.
큰 풍선 속 공기를 가열하여 공중에 떠오르게 만든 것

④ 쇠막대에 전선을 감고, 전류를 흐르게 하면 저 ㅈ 서 이 만들어진다.
전류가 흐르면서 자석의 성질이 나타나는 물체

⑤ 건설 현장에 가면 무거운 자재를 들어 올리는 ㄱ 주 ㄱ 를 볼 수 있다.
무거운 물건을 들어 올려 이동시키는 기계

⑥ 나침반은 ㅈ ㄱ 자 에 의해 지침이 움직이는 원리를 이용해 만든 것이다.
자석이 쇠를 끌어당기는 힘의 작용이 미치는 범위

⑦ ㅈ ㄱ ㅂ 사 열 차 는 미래의 주요 교통수단이 될 것이다.
자석의 힘으로 차량을 일정한 높이로 띄워 운행하는 열차

⑧ 바 과 다 ㅇ 오 드 는 수명이 길고 적은 에너지로 많은 빛을 낼 수
전류를 직접 빛으로 변환시키는 반도체 소자. LED
있다.

다음 빈칸에 낱말을 넣어 관용 표현을 완성하세요.

발등

㉑ ☐☐을 찍히다.

남에게 배신을 당하다.

간

㉑ ☐이 크다.

겁이 없고 매우 대담하다.

흙

㉑ 눈에 ☐이 들어가다.

죽어서 땅에 묻히다.

오지랖

㉑ ☐☐☐이 넓다.

지나치게 참견하는 면이 있다.

어깨

㉑ ☐☐를 견주다.

서로 비슷한 지위나 힘을 가지다.

발

㉑ ☐이 저리다.

지은 죄가 있어 마음이 편안하지 않다.

침

㉑ 입에 ☐ 바른 소리

겉만 번지르르하게 꾸미어 듣기 좋게 함.

떡

㉑ 그림의 ☐

마음에 들어도 이용할 수 없거나 차지할 수 없는 경우

낙

🔑 고생 끝에 [ ][ ]이 온다.
고생 뒤에는 즐거움이 온다.

도랑

🔑 [ ][ ] 치고 가재 잡는다.
동시에 두 가지 이득을 본다.

걸음

🔑 천리 길도 한 [ ][ ]부터
무슨 일이나 그 일의 시작이 중요하다.

꼬리

🔑 [ ][ ]가 길면 밟힌다.
나쁜 일도 계속하면 결국에 들키고 만다.

이삭

🔑 벼 [ ][ ]은 익을수록 고개를 숙인다.
교양이 있고 수양을 쌓은 사람일수록 겸손하다.

방귀

🔑 [ ][ ] 뀐 놈이 성낸다.
잘못한 사람이 아무 잘못도 없는 사람을 나무란다.

손

🔑 남의 [ ]의 떡은 커 보인다.
같은 물건이라도 남의 것이 제 것보다 더 좋아 보인다.

언덕

🔑 소도 [ ][ ]이 있어야 비빈다.
누구나 의지할 곳이 있어야 무슨 일이든 시작하거나 이룰 수가 있다.

타당한 근거로 글을 써요

국어 교과서 112~143쪽

1 논설문

논설문은 자신의 주장을 남에게 설득하는 것이 목적이므로, 주장에 대한 타당한 이유나 근거를 들어 설명할 수 있어야 해요.

✏ 다음 주장에 알맞은 근거를 찾아 연결하세요.

① 일회용품 사용을 줄이자.

> 쓰레기를 처리할 수 있는 시설이 부족하다.

> 간편한 생활용품을 찾는 사람들이 늘고 있다.

② 사람을 외모로 평가하지 말자.

> 사람의 진정한 가치는 마음에서 나온다.

> 사람의 얼굴에서 그 사람의 성격이 드러난다.

③ 우리말의 바른 표현을 찾아 올바르게 사용하자.

> 우리말에는 다채로운 표현이 많다.

> 올바르지 않은 표현은 다른 사람의 기분을 상하게 한다.

2 주제별 어휘 1 기후

기후는 지역에서 오랫동안 나타난 기온, 강수량, 바람 등의 대기 상태를 말해요. 세계 곳곳에서는 지역에 따라 다양한 기후가 나타난답니다.

✎ 다음 설명이 가리키는 기후를 그림에서 찾아 써 보세요.

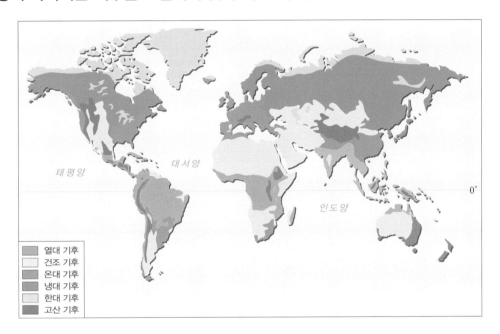

열대 기후
건조 기후
온대 기후
냉대 기후
한대 기후
고산 기후

태평양 대서양 인도양 0°

① 수분이 부족해서 수목이 자라기 힘들고 기온의 연교차와 일교차가 큰 기후 ⇨

② 극지방에서 주로 볼 수 있는 기후로 제일 따뜻한 달의 평균 기온도 10℃ 아래인 기후 ⇨

③ 가장 추운 달의 평균 기온은 −3℃ 아래, 가장 따뜻한 달의 평균 기온은 10℃ 이상인 기후 ⇨

④ 지구상에서 기온이 가장 높은 기후구로서, 가장 추운 달의 평균 기온이 18℃ 이상인 기후 ⇨

⑤ 주로 중위도에 위치하여 사계절이 뚜렷하며, 다른 기후에 비해 상대적으로 온화한 특성을 갖는 기후 ⇨

3 주제별 어휘 2 친환경

각종 쓰레기와 매연, 화학 물질 등으로 인해 지구가 몸살을 앓고 있어요. 지구를 보호하려는 움직임이 일면서 사람들은 '친환경'에 많은 관심을 기울이고 있어요.

🖉 빈칸에 알맞은 낱말을 써서 문장을 완성해 보세요.

❶ 건강을 위해 ☐ ☐ ☐ 식품을 찾는 소비자가 늘고 있다.
  <small>농약을 쓰지 않고 하는 농업</small>

❷ 지구 ☐ ☐ ☐ 로 인한 기상 재해가 매년 늘어나고 있다.
  <small>공기 오염으로 지구의 기온이 높아지는 것</small>

❸ 환경을 보호하려면 합성 세제보다는 ☐ ☐ 세제를 써야 한다.
  <small>사람의 힘을 가하지 아니한 상태</small>

❹ 우리 회사가 생산하는 탄산음료는 ☐ ☐ 지역에서 만들어진다.
  <small>맑고 깨끗한 상태</small>

❺ 나무가 내뿜는 ☐ ☐ ☐ ☐ 는 신경을 안정시키는 효과가 있다.
  <small>나무에서 나와 주위의 미생물을 죽이는 작용을 하는 물질</small>

❻ 이곳에서는 ☐ ☐ 발전을 위해 만든 풍차들이 쉴 새 없이 돌아가고 있다.
  <small>동력으로서의 바람의 힘</small>

❼ 세계 각국은 협약을 통해 ☐ ☐ ☐ ☐ ☐ 를 줄이는 데 합의하였다.
  <small>탄소가 완전히 탈 때 생기는 기체</small>

44

4 잘못 쓰기 쉬운 말 가슴팍

✎ 다음 문장에 알맞은 낱말을 찾아 ○표 하고, 바르게 써 보세요.

① 날아오는 공을 (가슴빡 / 가슴팍)으로 받아 냈다.　⇨
　　　가슴의 판판한 부분을 속되게 이르는 말

② 소년은 지나가는 여자아이를 (흘깃 / 홀낏) 보았다.　⇨
　　　가볍게 한 번 흘겨보는 모양

③ 새로운 전염병이 돌자 나라 (안밖 / 안팎)이 시끄럽다.　⇨

④ 마트에 가면 항상 (맛배기 / 맛보기) 행사가 펼쳐진다.　⇨

⑤ 스트레스를 받으면 암의 (발병율 / 발병률)이 높아진다.　⇨
　　　인구수에 대한 새로 생긴 질병 수의 비율

⑥ 아침에 일어나 (이부자리 / 이불자리)를 개고 청소를 했다.　⇨
　　　이불과 요를 통틀어 이르는 말

⑦ 그는 (재제소 / 제재소)에서 사온 나무로 지게를 만들었다.　⇨
　　　베어 낸 나무로 재목을 만드는 곳

5 형태는 같은데 뜻이 다른 말 심사

✏️ 빈칸에 공통으로 들어갈 낱말을 써 보세요.

1

ㅅ ㅅ

① 친구들의 놀림에 ☐☐가 뒤틀렸다.
<small>어떤 일에 대한 여러 가지 마음의 작용</small>

② 오늘은 환경 미화 ☐☐가 있는 날이다.
<small>자세하게 조사하여 등급, 당락을 결정함.</small>

2

ㄷ ㄱ

① 베토벤은 음악의 ☐☐이다.
<small>전문 분야에서 권위를 인정받는 사람</small>

② 일을 하고 나서 ☐☐를 받는 것은 당연하다.
<small>일을 하고 받는 보수</small>

3

ㄱ ㅁ

① 새 직원을 ☐☐로 모집했다.
<small>일반에게 널리 공개하여 모집함.</small>

② 검찰은 남자가 ☐☐에 가담했는지 조사할 예정이다.
<small>공동 모의</small>

4

ㄷ ㄱ

① 작가는 작품을 쓰게 된 ☐☐를 밝혔다.
<small>어떤 일이나 행동을 일으키게 하는 계기</small>

② 올해의 수출 실적은 전년 ☐☐ 대비 두 배가 늘었다.
<small>같은 시기. 또는 같은 기간</small>

6 바꿔 쓸 수 있는 말 착취하다

✏️ 밑줄 친 낱말과 바꿔 쓸 수 있는 낱말을 [보기]에서 찾아 써 보세요.

보기

| 애쓰다 | 난처하다 | 분류하다 | 수탈하다 |
| 수확하다 | 자립하다 | 자잘하다 | 절감하다 |

1 일 년 동안 가꾼 농작물을 <u>재배하다</u>. ⇨ [ ]

익거나 다 자란 농수산물을 거두어들이다.

2 분말은 눈으로 봐도 알갱이가 <u>미세하다</u>. ⇨ [ ]

여럿이 다 가늘거나 작다.

3 한데 모은 우편물을 지역별로 <u>구분하다</u>. ⇨ [ ]

기준에 따라 가르다.

4 양반 관리들이 백성들의 양식을 <u>착취하다</u>. ⇨ [ ]

강제로 빼앗다.

5 주머니 사정을 생각해서 비용을 <u>절약하다</u>. ⇨ [ ]

비용을 아껴서 줄이다.

6 나이가 들어 부모의 간섭에서 벗어나 <u>독립하다</u>. ⇨ [ ]

남에게 기대지 않고 스스로 서다.

7 회사 사정에 대해서는 더 이상 말하기 <u>곤란하다</u>. ⇨ [ ]

어떻게 해야 할지 몰라 답답하다.

8 불우한 이웃을 돕기 위해 자원봉사자들이 <u>노력하다</u>. ⇨ [ ]

힘들이다.

7 뜻이 반대인 말 흡수하다/배출하다

🖊 문장을 바르게 고치려고 해요. 밑줄 친 낱말과 반대되는 낱말을 써 보세요.

1 운동을 많이 해서 식욕이 <u>감퇴하다</u>.

⇨ | 즈 | 지 | 되 | 다 |

기운이나 세력 따위를 점점 늘려가다.

2 나무가 뿌리를 통해 수분을 <u>배출하다</u>.

⇨ | 흐 | ㅅ | 하 | 다 |

빨아서 거두어들이다.

3 이 증거로는 범인이 누구인지 <u>분명하다</u>.

⇨ | ㅁ | ㅎ | 하 | 다 |

말이나 태도가 흐리터분하여 분명하지 않다.

4 새 사업을 준비하기 위해 사람을 <u>해고하다</u>.

⇨ | ㄱ | 요 | 하 | 다 |

삯을 주고 남의 일을 하게 하다.

5 점심에 먹은 음식이 상했는지 속이 <u>편하다</u>.

⇨ | ㄱ | 부 | 하 | 다 |

몸이 불편하다.

6 정부가 기업에게 세금을 걷는 것은 <u>부당하다</u>.

⇨ | ㅈ | 다 | 하 | 다 |

올바르고 마땅하다.

7 중국이 세계에서 원유를 가장 많이 <u>수출하다</u>.

⇨ | ㅅ | ㅇ | 하 | 다 |

다른 나라로부터 상품이나 기술을 사들이다.

8 띄어쓰기 적

아이 ✓ 적에 있었던 일   물건을 살 ✓ 적에 있던 일

9일
월
일

✎ 다음 문장을 주어진 횟수에 따라 바르게 띄어 써 보세요.

❶ 나는편하게잠을잔적이없다. (5회)

나								
이								

❷ 이것은학생적찍은사진이다. (4회)

이								
진								

❸ 어릴적버릇은늙어서까지간다. (4회)

어								
지								

❹ 우리는나라를잃었던적도있었다. (4회)

우								
도								

9 꾸며 주는 말 얼른

✏️ 빈칸에 알맞은 낱말을 주어진 글자 카드로 만들어 써 보세요.

그	도	른	신	얼	연	저	통

1 비가 온다니, ☐☐ 빨래를 걷어야겠다.
시간을 끌지 아니하고 바로

2 두 사람은 서로 마주보고 ☐☐ 웃기만 했다.
다른 일은 하지 않고 그냥

3 아이가 원하는 것이 무엇인지 ☐☐ 알 수가 없었다.
아무리 해도. 도무지

4 그녀는 어머니를 집으로 떠나보내면서 ☐☐ 눈물을 훔쳤다.
잇따라 자꾸

껏	고	꼬	박	얼	작	추	한

5 이 일을 마치는 데 ☐☐ 사흘이 걸렸다.
어떤 상태를 고스란히 그대로

6 앞서 출발한 팀원들이 ☐☐ 도착할 시간이 되었다.
어떤 기준에 거의 가깝게

7 언니는 짧은 치마에 뾰족구두를 신고 ☐☐ 멋을 부렸다.
할 수 있는 데까지

8 그가 하루를 일하고 손에 쥔 것은 ☐☐ 단돈 이만 원이었다.
기껏 따져 보거나 헤아려 보아야

50

10 외래어 표기 슈퍼마켓

✏️ 다음 글에서 외래어의 올바른 표기를 찾아 써 보세요.

　　우리 동네에 대형 할인점이 들어섰다. 길가에는 입점을 알리는 ❶(플래카드/플랜카드)가 곳곳에 붙었고, 주민들의 휴대 전화에는 싸게 파는 행사 품목들이 적힌 문자 ❷(메세지/메시지)가 돌았다. 입점 당일, 사람들은 가까운 동네 ❸(슈퍼마켓/슈퍼마켙)에서 살 수 있는 물건도 이곳 할인점에서 사려고 모여들었다. 할인점에는 ❹(커피샵/커피숍)도 함께 들어섰는데, ❺(쇼윈도/쇼윈도우) 안의 먹음직스럽게 보이는 여러 종류의 ❻(케잌/케이크) 장식이 사람들의 시선을 끌었다.

❶ 긴 천에 글을 적어 양쪽 장대에 매어 놓은 표지물　⇨ [　　]

❷ 언어나 기호에 의하여 전달되는 정보 내용　⇨ [　　]

❸ 온갖 상품을 벌여 놓고 파는 규모가 큰 상점　⇨ [　　]

❹ 주로 커피차를 팔면서 쉴 수 있도록 꾸며 놓은 가게　⇨ [　　]

❺ 가게에서 진열한 상품을 들여다볼 수 있도록 설치한 유리창　⇨ [　　]

❻ 밀가루, 달걀, 버터, 우유 등을 원료로 하여 오븐에 구운 음식　⇨ [　　]

✏️ 빈칸에 알맞을 낱말을 [보기]에서 찾아 써 보세요.

보기

| 가치 | 고뇌 | 권위 | 배려 | 성찰 | 신의 | 위문 |

1 그의 연주에는 인생의 [   ]가 서려 있었다.

정신적인 고민과 괴로움

2 자유 민주 국가에서는 인간의 [   ]와 개성을 존중한다.

귀중하게 여길 만한 성질이나 중요한 것

3 새로 임명된 장관은 교육 분야에서 [   ] 있는 전문가이다.

남이 떠받들 만한 뛰어난 지식, 기술 또는 실력

4 국군의 날이 되면 친구들과 인근 부대로 [   ]을 가기로 했다.

몸과 마음이 괴롭거나 수고하는
사람을 찾아가 위로하는 것

5 그는 선생님의 [   ]로 학비에 대한 걱정 없이 공부에 전념했다.

도와주거나 보살펴 주려는 마음 씀씀이

6 두 사람 사이에 우정이 싹트려면 [   ]를 지키는 것이 중요하다.

서로 믿고 저버리지 않는 마음

7 사람은 자신의 행위를 [   ]하고 그 안에서 잘못을 깊이 뉘우친다.

자신의 삶을 반성하며 깊이 살피는 것

✏️ **밑줄 친 말을 한 낱말로 바꿔 써 보세요.**

① 이 집은 자연에 <u>친근하게 잘 어울리는 것</u>이다.

➡️ 친 ㅎ 적

② 이 동화책은 <u>도덕의 규범에 맞는</u> 내용을 많이 담고 있다.

➡️ ㄷ ㄷ 적

③ 사람은 <u>무리를 이루어 살려고 하는 성질을 지닌</u> 동물이다.

➡️ 사 ㅎ 적

④ 어느 나라든 입국 심사는 <u>마음이 어떻든 해야만 하는</u> 규정이다.

➡️ ㅇ 무 적

⑤ 문제를 해결할 <u>지금까지 없던 특성을 가진</u> 방법을 고민해 보았다.

➡️ 차 ㅇ 적

⑥ 연극이 끝나고 난 후 <u>느낌에 강하게 남는</u> 장면이 머리에서 맴돌았다.

➡️ 이 사 적

⑦ 우리는 외세에 의존하지 않고 <u>남의 간섭을 받지 않고 하는</u> 통일을 원한다.

➡️ 자 ㅈ 적

다음 빈칸에 낱말을 넣어 문장을 완성하세요.

공모

공동 모의

⑩ 범행을 □□한 사람들이 적발되었다.

유기농

농약을 쓰지 않고 하는 농업

⑩ 이 사과는 □□□으로 재배한 것이다.

심사

어떤 일에 대한 여러 가지 마음의 작용

⑩ 고향 생각만 하면 □□가 울적해진다.

인상적

느낌에 강하게 남는

⑩ 그 사람의 특이한 말투가 □□□이다.

모호하다

말이나 태도가 흐리터분하여 분명하지 않다.

⑩ 말이 □□□여 잘 알아들을 수가 없다.

고작

기껏 따져 보거나 헤아려 보아야

⑩ 주머니에 남은 돈은 □□ 천 원뿐이었다.

성찰

자신의 삶을 반성하고 깊이 살피는 것

⑩ 잘못된 행동을 반복하지 않도록 깊이 □□해라.

연신

잇따라 자꾸

⑩ 비상사태가 발생하자 사이렌 소리가 □□ 울렸다.

얼추	어떤 기준에 거의 가깝게 ⑩ 건물 공사가 ☐☐ 마무리되어 간다.
대가	전문 분야에서 권위를 인정받는 사람 ⑩ 그는 음악계에서 인정받는 ☐☐이다.
난처하다	어떻게 해야 할지 몰라 답답하다. ⑩ 누구 편을 들어야 할지 입장이 ☐☐☐☐.
수탈	강제로 빼앗음. ⑩ 도적들이 나타나 주민들의 재산을 ☐☐했다.
천연	사람의 힘을 가하지 아니한 상태 ⑩ 이 물감은 ☐☐ 색소를 사용하여 만든 것이다.
권위	남이 떠받들 만한 뛰어난 지식. 기술 또는 실력 ⑩ 우리 선생님은 과학계에서 ☐☐ 있는 학자이다.
온난화	공기 오염으로 지구의 기온이 높아지는 것 ⑩ 지구 ☐☐☐로 여름 기온이 점점 높아지고 있다.
가슴팍	가슴의 판판한 부분을 속되게 이르는 말 ⑩ '가슴 트래핑'이란 공을 ☐☐☐으로 받는 것이다.

4장 효과적으로 발표해요

1 매체를 활용한 발표

발표를 할 때, 영상 등의 매체를 잘 활용하면 내용을 전달하고 설득력을 높이는 데 도움이 돼요. 발표에서 보여 줄 영상은 그 목적에 맞게 제작하면 더욱 효과적이지요.

다음은 영상 자료를 제작하고 발표하는 과정을 순서대로 나열한 것입니다. 빈칸에 알맞은 말을 [보기]에서 찾아 써 보세요.

> **보기**
>
> 점검　　주제　　장면　　촬영　　편집　　상황

첫째, 발표의 목적, 듣는 사람, 발표 장소 등의 발표 [　　　]을 파악한다.

둘째, 듣는 이가 흥미를 느낄 만한 [　　　]를 정한다.

셋째, 영상에 담을 내용과 [　　　]을 정한다.

넷째, 계획에 맞게 역할을 나누고 전하려는 내용이 잘 드러나게 [　　　]한다.

다섯째, 필요한 영상을 골라 차례에 맞게 [　　　]한다.

여섯째, 발표 영상 및 음성에 문제가 없는지 최종적으로 [　　　]하고, 발표한다.

2 주제별 어휘 영상 제작

드라마나 영화와 같은 영상 매체를 촬영하는 데는 준비가 필요해요. 한 편의 영상을 만들기 위해 감독을 포함한 제작진들은 각자의 분야에서 많은 노력을 기울여요.

✏️ 글 상자의 낱말을 따라 쓰고, 그에 알맞은 뜻을 찾아 번호를 써 보세요.

1 이 영화는 영 상 이 정말 아름답다.　　　　　　　　(　)

① 영화나 텔레비전의 화면에 나타나는 모습
② 선과 색채로 평평한 면 위에 나타낸 사물의 모양

2 촬영이 시작되자 조 명 이 배우를 환하게 비추었다.　　(　)

① 연극, 영화, 사진 촬영의 대상에 비추는 빛
② 빛의 반사를 이용하여 물체의 모양을 비추어 보는 물건

3 대다수의 감독들은 대 본 에 충실한 배우를 신뢰한다.　　(　)

① 배우가 자신의 장단점을 정리하여 적은 글
② 연극이나 영화를 만드는 데 필요한 지시를 적은 글

4 영화의 특징은 감독의 연 출 방식에 따라 다르게 나타난다.　(　)

① 물건이나 작품 등을 처음으로 만들거나 지어내는 일
② 배우의 연기, 무대 장치 등을 종합적으로 지도하여 작품을 만드는 일

5 이 스피커는 공연을 보는 듯한 현실감 있는 음 향 을 만들어 낸다. (　)

① 물체에서 나는 소리의 울림
② 동시 또는 차례로 울리는 두 음의 높낮이 간격

3 뜻을 더하는 말 1 −거리다, 대다

'−거리다'와 '−대다'는 '그런 상태가 잇따라 계속됨.'의 뜻을 더하는 말이에요. 주로 소리나 모양을 흉내 내는 말에 붙여 쓰는 경우가 많아요.

[보기]의 소리나 모양을 흉내 내는 말을 참조하여, 빈칸에 알맞은 낱말을 써 보세요.

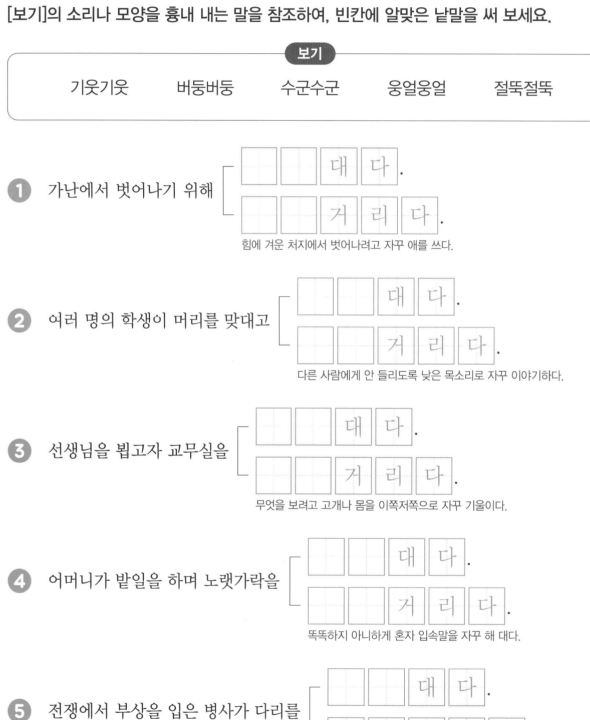

보기

| 기웃기웃 | 버둥버둥 | 수군수군 | 웅얼웅얼 | 절뚝절뚝 |

① 가난에서 벗어나기 위해

☐☐ 대 다 .
☐☐ 거 리 다 .

힘에 겨운 처지에서 벗어나려고 자꾸 애를 쓰다.

② 여러 명의 학생이 머리를 맞대고

☐☐ 대 다 .
☐☐ 거 리 다 .

다른 사람에게 안 들리도록 낮은 목소리로 자꾸 이야기하다.

③ 선생님을 뵙고자 교무실을

☐☐ 대 다 .
☐☐ 거 리 다 .

무엇을 보려고 고개나 몸을 이쪽저쪽으로 자꾸 기울이다.

④ 어머니가 밭일을 하며 노랫가락을

☐☐ 대 다 .
☐☐ 거 리 다 .

똑똑하지 아니하게 혼자 입속말을 자꾸 해 대다.

⑤ 전쟁에서 부상을 입은 병사가 다리를

☐☐ 대 다 .
☐☐ 거 리 다 .

한쪽 다리가 짧거나 탈이 나서 자꾸 뒤뚝뒤뚝 절다.

4 뜻을 더하는 말 2 '-화'

낱말의 끝에 한자 '화(化)'가 덧붙으면 '그렇게 만들거나 됨.'의 뜻을 더하게 돼요.

11일

월

일

아열대 + **-화** → **아열대화**
열대와 온대의 중간

✏️ **다음 밑줄 친 부분을 다른 말로 바꿔 써 보세요.**

1 지구 기온이 높아지게 되면서 자연재해가 늘어나고 있다.

 ⇨ ㅇ ㄴ 화 로

2 작업의 생산 과정을 여럿으로 나누어 함으로 생산성이 향상되었다.

 ⇨ ㅂ ㅇ 화 로

3 부자와 가난한 사람 간의 서로 점점 더 달라지고 멀어짐이 심해지고 있다.

 ⇨ ㅑ ㄱ 화 가

4 공장의 노동을 기계가 대신함으로 제품을 생산하는 시간이 훨씬 줄어들었다.

⇨ ㄱ ㄱ 화 로

5 기업들은 정보를 빠르고 효과적으로 주고받게 됨으로 인해 많은 돈을 벌었다.

⇨ ㅈ ㅂ 화 로

6 스마트폰의 쓰임이 대중 사이에 널리 퍼짐으로 게임 산업이 더욱 커질 전망이다.

⇨ ㄷ ㅈ 화 로

5 뜻이 반대인 말 사익/공익

✏️ 밑줄 친 낱말에 반대되는 낱말을 빈칸에 넣어 문장을 완성해 보세요.

1 <u>암흑</u> 속에서 한 줄기 과 며 을 찾았다.
　　캄캄한 어둠

2 모든 생물은 <u>생성</u>하면 ㅅ 며 하기 마련이다.
　　　　　　　사물이 생겨남.

3 그는 <u>사익</u>보다는 ㄱ 이 을 우선으로 생각했다.
　　　　개인의 이익

4 며칠 동안 <u>악몽</u>을 꿨는데, 어제는 기 모 을 꾸었다.
　　　　　　불길하고 무서운 꿈

5 단역 배우는 무대에 잠깐 <u>등장</u>하고는 ㅌ 자 해 버렸다.
　　　　　　　　　　　무대나 연단 위에
　　　　　　　　　　　나타남.

6 유해 물질에 <u>중독</u>되었을 때 간은 ㅎ 도 하는 작용을 한다.
　　　　　　독 성분으로 신체 이상이
　　　　　　생긴 상태

7 소금기 많은 바닷바람이 해안에서 ㄴ 류 을 향하여 불었다.
　　　　　　　　　　　　바다와 육지가
　　　　　　　　　　　　맞닿은 부분

8 내 말에 동의를 하지 않으면 ㅇ 의 가 있는 것으로 여길 것이다.
　　　　　　의사나 의견을 같이 함.

6 바꿔 쓸 수 있는 말 조장하다

✏️ 빈칸에 가장 어울리는 낱말 쌍을 [보기]에서 찾아 써 보세요.

보기

외지다 – 구석지다	힘차다 – 우렁차다	개최하다 – 주최하다
대피하다 – 피신하다	몰입하다 – 몰두하다	조장하다 – 부추기다

1
- 사람들이 전쟁을 피해 ＿＿＿＿＿＿＿＿.
- 지진 경보가 발령되자 급히 ＿＿＿＿＿＿＿＿.

위험을 피하여 몸을 숨기다.

2
- 누나가 그림을 그리는 일에 ＿＿＿＿＿＿＿.
- 시험을 준비하기 위해 공부에 ＿＿＿＿＿＿＿.

어떤 일에 온 정신을 다 기울여 집중하다.

3
- 적진을 향해 외치는 병사들의 함성이 ＿＿＿＿＿＿＿.
- 물음에 대답하는 학생들의 목소리가 ＿＿＿＿＿＿＿.

소리의 울림이 매우 크고 힘이 있다.

4
- 우리가 방송을 보고 찾아간 음식점은 ＿＿＿＿＿＿＿.
- 할머니가 어릴 적부터 살아온 동네는 ＿＿＿＿＿＿＿.

위치가 중앙에서 멀리 떨어져 있다.

5
- 우리 사회의 지나친 경쟁이 이기심을 ＿＿＿＿＿＿＿.
- 국제 석유 가격의 급등이 물가 상승을 ＿＿＿＿＿＿＿.

감정이나 상황이 심해지도록 영향을 미치다.

6
- 구청에서 불우 이웃 돕기 바자회를 ＿＿＿＿＿＿＿.
- 시청에서 일 년에 한 번씩 마라톤 대회를 ＿＿＿＿＿＿＿.

행사나 모임을 기획하여 열다.

7 한자어 주(主)

낱말의 앞에 한자 '주(主)'가 합쳐진 낱말들은 '주로, 기본이 되는'의 의미를 가지게 돼요.

주 + 산지 → 주산지
주로   생산되는 곳

주 + 원인 → 주원인
주된

✏️ 빈칸에 알맞은 낱말을 써서, 문장을 완성해 보세요.

1 감귤의 [　|사|ㅈ]는 제주도이다.
어떤 물건이 주로 생산되는 지역

2 환자가 겪는 두통의 [　|　|　]은 스트레스이다.
주된 원인

3 그 씨름 선수의 [　|　|　]는 밭다리 걸기이다.
주된 특기

4 올해 우리 팀의 [　|　|　]는 전국 대회 우승이다.
주가 되는 목표

5 아빠가 끓여 주는 찌개의 [　|　|　]는 김치이다.
무엇을 만드는 데에 쓰는 주된 재료

6 시범 경기가 끝나고 이제부터 본격적인 [　|　|　]가 시작된다.
여러 경기 가운데 으뜸이 되는 경기

7 콜라의 [　|　|　]은 설탕이므로, 너무 많이 먹는 것은 좋지 않다.
어떤 물질을 이루는 주된 성분

8 뜻이 여러 가지인 말 달다

한 낱말이 두 가지 이상의 뜻을 가지고 있으면 이를 '다의어'라고 해요. 이때 다의어가 가진 뜻들은 의미가 서로 관련되어 있어요.

🖊 밑줄 친 낱말의 알맞은 뜻을 찾아 번호를 써 보세요.

달다	① 물건을 일정한 곳에 걸거나 매어 놓다.
	② 장부에 적다.
	③ 글이나 말에 설명 따위를 덧붙이거나 보태다.

1 더 이상 내 말에 토를 <u>달지</u> 말거라. ⇨ ☐

2 오늘 먹은 점심값은 외상으로 <u>달아</u> 두어라. ⇨ ☐

3 국경일을 맞아 대문에 태극기를 <u>단</u> 집들이 많이 눈에 띈다. ⇨ ☐

찾다	① 사람이나 사물을 발견하려고 뒤지거나 살피다.
	② 맡겨 놓은 것을 다시 가지고 가다.
	③ 모르는 것을 알아내고 밝혀내려고 애쓰다.
	④ 어떤 사람이나 장소를 보러 그와 관련된 곳으로 옮겨 가다.

4 큰오빠는 명절을 맞아 고향 집을 <u>찾았다</u>. ⇨ ☐

5 길을 잃은 아이가 부모를 애타게 <u>찾고</u> 있다. ⇨ ☐

6 부모님의 선물을 사기 위해 은행에 저금한 돈을 <u>찾았다</u>. ⇨ ☐

7 주민들은 문제에 대한 해답을 <u>찾기</u> 위해 한자리에 모였다. ⇨ ☐

9 관용어 어안이 벙벙하다

'어안'은 입 속에 있는 혀의 안쪽을 이르는 말이고, '벙벙하다'는 멍한 상태를 나타내는 말이에요. 두 말이 합쳐져 관용어로 쓰이면, 놀라운 일을 당해 어리둥절하다는 하나의 의미를 가지게 돼요.

✏️ 카드를 왼쪽에서 하나, 오른쪽에서 하나씩 꺼내어 빈칸에 알맞은 말을 만들어 써 보세요.

숨을	덜미를		들이다	높다
어안이	뜸을		박다	돌리다
콧대가	쐐기를		벙벙하다	잡히다

1 말이 새어 나가지 않도록 미리 _____.
  뒤탈이 없노록 미리 단단히 다짐을 두다.

2 생각하지도 않은 상을 받게 되어 _____.
  뜻밖에 놀랍거나 기막힌 일을 당하여 어리둥절하다.

3 부끄러워서 할 말도 제대로 못하고 _____.
  서둘지 않고 한동안 가만히 있다.

4 범인이 계속해서 도둑질을 하더니 _____.
  못된 일 따위를 꾸미다가 들키다.

5 바쁜 일로 쫓기다가 요즈음에야 잠깐 _____.
  잠시 여유를 얻어 휴식을 취하다.

6 그녀는 웬만한 남자는 거들떠보지 않을 만큼 _____.
  잘난 체하고 뽐내는 태도가 있다.

10 띄어쓰기 채

'채'는 '이미 있는 상태 그대로 있다.'는 뜻을 나타내는 말이에요. '-은/는 채로', '-은/는 채'의 구성으로 쓰여요. 하나의 낱말이므로 앞말과는 띄어 써야 해요.

옷을 입은✓채로 ~　　　고개를 숙인✓채 ~

✎ 다음 문장을 주어진 횟수에 따라 바르게 띄어 써 보세요.

1 동생은벽에기댄채로잠이들었다. (5회)

동										
잠										

2 그는멱살을잡힌채질질끌려갔다. (5회)

그										
질										

3 아이가엄마등에업힌채울고있다. (6회)

아										
채										

4 두사람이서로뒤엉킨채로싸우고있다. (6회)

두										
채										

타교과 어휘 수학

✏️ 빈칸에 알맞은 낱말을 [보기]에서 찾아 써 보세요.

보기

분모   분자   약분   공배수   공약수

① 단위 분수 ⇨ [   ] 가 1인 분수

② 기약 분수 ⇨ 분모와 분자 사이의 [   ] 가 1뿐이어서 [   ] 되지 않는 분수

③ 약분 ⇨ [   ] 와 분자를 [   ] 로 나누어 간단하게 하는 것

④ 통분 ⇨ [   ] 의 최소 [   ] 를 공통분모로 삼아 분모를 같게 만드는 것

✏️ 다음은 [보기]에 대한 설명이에요. 빈칸에 알맞은 낱말을 써 보세요.

보기

비례식 3 : 4 = 6 : 8

① 비 3 : 4와 6 : 8에서 3과 6을 [   ] 항 이라 하고, 4와 8을 [   ] 항 이라 한다.

② 비례식 3 : 4 = 6 : 8에서 4와 6은 [   ] 항 이라 하고, 3과 8은 [   ] 항 이라 한다.

밑줄 친 말의 알맞은 뜻을 찾아 번호를 써 보세요.

1 흔히 참값을 반올림하여 <u>근삿값</u>으로 나타낸다.　　　　　（　　　）

① 예상한 값과 참값과의 차이
② 셈하거나 측정해 얻은 참값에 아주 가까운 값

2 <u>비례 배분</u>한 각각의 값의 합은 전체의 값과 같다.　　　　　（　　　）

① 전체의 수량을 주어진 비로 나누는 것
② 전체의 수량을 특정한 하나의 수로 나누는 것

3 원의 크기와 상관없이 모든 원의 <u>원주율</u>은 약 3.14이다.　　　　（　　　）

① 원의 지름에 대한 원의 둘레의 비율
② 원의 반지름에 대한 원의 둘레의 비율

4 한 모서리의 길이가 1cm인 정육면체의 <u>부피</u>는 '1cm³'이다.　　　（　　　）

① 입체 도형을 펼친 상태에서 잰 넓이
② 입체 도형이 공간에서 차지하는 크기

5 도형을 <u>대칭 이동</u>하면 도형의 좌, 우 또는 상, 하가 서로 바뀐다.　（　　　）

① 어떤 도형을 처음 도형과 겹쳐지도록 움직이는 것
② 어떤 도형을 처음 도형과 대칭이 되도록 움직이는 것

6 회전축이 평면 도형과 떨어져 있는 경우에는 속이 빈 <u>회전체</u>가 된다.　（　　　）

① 평면 도형을 한 직선을 축으로 하여 반 바퀴 회전시켜 생기는 입체 도형
② 평면 도형을 한 직선을 축으로 하여 한 바퀴 회전시켜 생기는 입체 도형

다음 빈칸에 글자를 넣어 낱말을 완성하세요.

1 ☐다 — 장부에 적다.

2 주☐하다 — 행사나 모임을 기획하여 열다.

3 원☐율 — 원의 지름에 대한 원의 둘레의 비율

4 부☐기다 — 감정이나 상황이 심해지도록 영향을 미치다.

5 근☐값 — 셈하거나 측정해 얻은 참값에 아주 가까운 값

6 ☐둥대다 — 힘에 겨운 처지에서 벗어나려고 자꾸 애를 쓰다.

7 ☐분 — 분모와 분자를 공약수로 나누어 간단하게 하는 것

8 ☐칭 이☐ — 어떤 도형을 처음 도형과 대칭이 되도록 움직이는 것

9 기☐대다 — 무엇을 보려고 고개나 몸을 이쪽저쪽으로 자꾸 기울이다.

10 ☐출 — 배우의 연기, 무대 장치 등을 종합적으로 지도하여 작품을 만드는 일

정답 1. 달 2. 최 3. 주 4. 추 5. 삿 6. 버 7. 약 8. 대, 동 9. 웃 10. 연

¹¹□익 — 공공의 이익

¹²생□ — 사물의 생겨남.

¹³음□ — 물체에서 나는 소리의 울림

¹⁴해□ — 바다와 육지가 맞닿은 부분

¹⁵□산지 — 어떤 물건이 주로 생산되는 지역

¹⁶□업화 — 생산 과정을 여럿으로 나누어 함.

¹⁷□례□분 — 전체의 수량을 주어진 비로 나누는 것

¹⁸□두하다 — 어떤 일에 온 정신을 다 기울여 집중하다.

¹⁹광□ — 밝은 미래나 희망을 상징하는 밝고 환한 빛

²⁰대□ — 연극이나 영화를 만드는 데 필요한 지시를 적은 글

정답   **11.** 공   **12.** 성   **13.** 향   **14.** 안   **15.** 주   **16.** 분   **17.** 비, 배   **18.** 몰   **19.** 명   **20.** 본

5장 글에 담긴 생각과 비교해요

1 토론

토론은 문제 해결을 위해 토론을 진행하는 사회자, 찬반 양편으로 나뉘어 토론을 벌이는 토론자, 토론을 듣고 평가하는 청중이 참여하는 말하기예요.

토론 참여자의 역할을 정리하려고 해요. 빈칸에 들어갈 가장 알맞은 낱말을 [보기]에서 찾아 써 보세요.

보기

근거	논제	의견	전개
정리	진행	질문	뒷받침

참여자	역할
토론자	• _____ 을/를 분석하여 찬반이 대립되는 점을 분명히 안다. • 주장할 내용을 _____ 할 증거 자료를 수집한다. • 주장을 명확히 전달할 논리 _____ 방법을 사용한다.
사회자	• 토론 장소와 참여자를 배치하고, 토론을 _____ 한다. • 토론자들의 발언을 요약하여 토론 내용을 _____ 한다. • 보충 _____ 을/를 해서 토론이 원만하게 이루어지도록 한다.
청중	• 토론자의 말을 사실과 _____ (으)로 구분해서 듣는다. • 주장이 타당한지, _____ 이/가 적절하고 믿을 만한지 판단한다.

2 주제별 어휘 전통 건축물

오늘날 남아 있는 옛 전통 건축물들은 대개 문화재로 지정되어 있어요. 전통 건축물들은 우리 조상들의 문화와 삶의 방식, 지혜 등을 엿볼 수 있는 중요한 자료로서 가치가 매우 높기 때문이에요.

🖊 다음 그림에 알맞은 낱말을 [보기]에서 찾아 써 보세요.

보기

누각   사찰   성곽   정자

①

경치가 좋은 곳에 지은,
지붕과 기둥만 있는 집

②

적을 막기 위하여 흙이나 돌 따위로
높이 쌓아 만든 담

③

사방을 볼 수 있도록 문과 벽이 없이
다락처럼 높이 지은 집

④

규모가 큰 절

3 형태는 같은데 뜻이 다른 말 실례

✏ 빈칸에 공통으로 들어갈 낱말을 써 보세요.

1

ㅅ ㄹ

① ☐☐를 무릅쓰고, 여쭤 보겠습니다.
말이나 행동이 예의에 벗어남. 또는 그런 말이나 행동

② 네가 한 설명에 ☐☐를 들어 보아라.
구체적인 실제의 예

2

ㅈ 과

① 산꼭대기에서 내려다본 풍경은 ☐☐이었다.
훌륭하고 장대한 광경

② 신임 ☐☐이 취임식에서 각오를 밝히고 있다.
행정 각 부의 우두머리

3

ㅇ ㅎ

① 장사꾼은 계약을 할 때에 우선 ☐☐를 따진다.
손해와 이익을 아울러 이르는 말

② 그가 무슨 말을 하는지 도통 ☐☐를 할 수가 없다.
깨달아 앎.

4

ㅅ ㅇ

① 공자와 같은 ☐☐의 사상은 후세에 많은 영향을 미쳤다.
지혜와 덕이 뛰어나 길이 우러러 본받을 만한 사람

② 자라서 ☐☐이 되면 자기의 일은 스스로 결정해야 한다.
자라서 어른이 된 사람

4 줄여 쓰는 말 편안치 않다

'–하지 않다'에서 '–하지' 앞에 붙는 말이 모음으로 끝나거나, 'ㄴ, ㄹ, ㅁ, ㅇ' 등으로 끝날 때에는 '–치 않다'로 줄여 쓸 수 있어요. 그 밖의 경우는 '–지 않다'로 줄여 써요.

편안하지 않다 → 편안치 않다
'ㄴ'으로 끝남.

거북하지 않다 → 거북지 않다
일반적인 경우

밑줄 친 말을 줄여 써 보세요.

1 이전에 사 놓은 식료품이 <u>넉넉하지</u> 않다. ⇨ ▢

2 그 아이의 행동은 상황에 <u>적절하지</u> 않다. ⇨ ▢

3 이 길은 처음 가 보기 때문에 <u>익숙하지</u> 않다. ⇨ ▢

4 반성할 줄도 모르다니, <u>용서하지</u> 않을 것이다. ⇨ ▢

5 청소를 대충해 버려서 교실이 <u>깨끗하지</u> 않다. ⇨ ▢

6 선생님과 면담을 <u>원하지</u> 않는 학생은 손을 들어라. ⇨ ▢

7 이번에 산 기계는 전에 있던 것보다 <u>간편하지</u> 않다. ⇨ ▢

5 꾸며 주는 말 사뭇

✏️ 글 상자의 낱말을 따라 쓰고, 그에 알맞은 뜻을 [보기]에서 찾아 기호를 써 보세요.

보기

㉠ 아무리 해도
㉡ 정성을 다하여
㉢ 아주 딴판으로
㉣ 아무런 뜻이나 생각이 없이
㉤ 동작이 빠르고 시원스러운 모양
㉥ 갑자기 어떠한 생각이 떠오르는 모양
㉦ 어떤 일이 있고 난 다음에야 처음으로

---

❶ 사람마다 생김새가 다르듯 성격도 |사|뭇| 다르다. ⇨ [　]

❷ 손녀는 할머니가 준 소중한 손수건을 |고|이| 간직했다. ⇨ [　]

❸ 어머니를 보자 아이의 얼굴에 |비|로|소| 웃음꽃이 피었다. ⇨ [　]

❹ |무|심|코| 내뱉은 말이 상대방의 마음을 상하게 만들었다. ⇨ [　]

❺ 따끈한 국밥을 보고 있자니 |불|현|듯| 부모님 생각이 났다. ⇨ [　]

❻ 말을 하지 않으니, 그 녀석 마음을 |도|무|지| 알 수가 없다. ⇨ [　]

❼ 노인은 추위에 떠는 아이에게 입고 있던 옷을 |선|뜻| 벗어 주었다. ⇨ [　]

6 바꿔 쓸 수 있는 말 종사하다

🖉 밑줄 친 낱말과 비슷한 뜻의 낱말에 ◯표 하고, 알맞게 활용하여 써 보세요.

1 원님은 관군을 풀어 도적들을 <u>쓸어버렸다</u>.   ➡   소지하다   소탕하다

≒ [   ]

2 선생님은 수십 년 동안을 교직에 <u>몸담았다</u>.   ➡   종사하다   종속하다

≒ [   ]

3 젊은 청년들이 나라를 지키기로 <u>결심하였다</u>.   ➡   결의하다   결탁하다

≒ [   ]

4 영화가 준 감동을 나의 마음속에 <u>아로새겼다</u>.   ➡   간직하다   간추리다

≒ [   ]

5 두 사람은 밤새도록 <u>솔직한</u> 대화를 나누었다.   ➡   진부하다   진솔하다

≒ [   ]

6 언니는 자신보다 열 살 많은 남자를 <u>그리워한다</u>.   ➡   사모하다   사소하다

≒ [   ]

7 해결 방안을 두고 주민들의 의견이 서로 <u>다르다</u>.   ➡   분분하다   분주하다

≒ [   ]

7 뜻이 반대인 말 낯설다/익숙하다

✏️ 밑줄 친 낱말을 문장에 어울리도록 반대말로 고쳐 써 보세요.

1 처음 만난 사람들이라 그런지 <u>익숙하다</u>. ⇨ | ㄴ | 설 | 다 |

2 <u>강대한</u> 나라는 다른 나라에게 괴로움을 당하기 쉽다. ⇨ | 야 | ㅅ | 한 |
약하고 작은

3 올해의 목표를 <u>실패한</u> 사원에게는 포상이 주어질 것이다. ⇨ | 다 | 서 | 한 |
목적한 것을 이룬

4 추석날이라 먹을 것이 <u>부족하다</u>. ⇨ | 푸 | ㅅ | 하 | 다 |
넉넉히고 많다.

5 평원이 끝도 없이 <u>협소하게</u> 펼쳐져 있다. ⇨ | 과 | 화 | 하 | 게 |
막힌 데가 없이 트이고 넓게

6 아버지가 <u>취직하자</u> 가족의 생계가 어려워졌다. ⇨ | ㅅ | 지 | 하 | 자 |
맡은 일을 내놓고 물러나자

7 장신구로 한껏 치장한 여자의 모습이 <u>소박하다</u>. ⇨ | ㅎ | ㄹ | 하 | 다 |
환하게 빛나며 곱고 아름답다.

8 이 작품이 독특하고 남다른 것은 <u>모방했기</u> 때문이다. ⇨ | ㅊ | ㅈ | 했 | 기 |
전에 없던 것을 처음으로 만들었기

8 뜻을 더하는 말 -관(觀)

'-관(觀)'은 '생각'이나 '의견'의 의미를 더해 주는 말이에요.

관(觀) → 가치관, 경제관, 예술관, 종교관 등
생각이나 의견

15일

월

일

✎ 밑줄 친 말을 하나의 낱말로 바꿔 써 보세요.

1 동양인과 서양인은 <u>대상에 대한 가치를 판단하는 기준</u>이 다르다. ⇨ ☐

2 작가는 출판 기념회에서 <u>문학에 대해 가지고 있는 생각</u>을 밝혔다. ⇨ ☐

3 일본 정부는 조선 침략에 대한 <u>역사를 보는 관점</u>이 왜곡되어 있다. ⇨ ☐

4 경기를 부양하기 위한 두 학자의 <u>경제를 보는 입장</u>은 차이가 컸다. ⇨ ☐

5 그녀가 그와 결혼을 결심한 것은 <u>종교에 대한 의견</u>이 맞았기 때문이다. ⇨ ☐

6 유명한 미술가들은 자신만의 <u>예술의 목적, 가치 등에 대한 생각</u>을 가지고 있다. ⇨ ☐

7 우리는 국민으로서 지녀야 할 <u>국가의 목적, 의의 등에 대해 가지는 생각</u>에 대해 토론하였다. ⇨ ☐

9 모양을 흉내 내는 말 조마조마

🖊 빈칸에 알맞은 낱말을 [보기]에서 찾아 써 보세요.

보기

노릇노릇	대굴대굴	바락바락	번질번질
조마조마	흘깃흘깃	흥얼흥얼	

1 공이 계단 아래로 ☐ 굴러 내려간다.
작은 물건이 계속 구르는 모양

2 그는 ☐ 윤이 나도록 가구를 닦았다.
거죽이 윤기가 흐르고 매우 미끄러운 모양

3 불판 위의 고기가 ☐ 맛있게 익어 간다.
군데군데 노르스름한 모양

4 내 행동에 트집을 잡는 형에게 ☐ 대들었다.
화가 나서 잇따라 기를 쓰거나 소리를 지르는 모양

5 술래가 다가오자 아이들은 ☐ 마음을 졸였다.
닥쳐올 일에 대하여 마음이 초조하고 불안한 모양

6 동네 사람들이 그를 ☐ 보며 자기들끼리 속닥거렸다.
자꾸 가볍게 흘겨보는 모양

7 라디오에서 유행가가 흘러나오자, 아이들이 ☐ 따라 불렀다.
흥에 겨워 입 속으로 노래를 부르는 모양

10 낱말 퀴즈

✏️ 문장에 섞여 있는 글자 카드의 순서를 바르게 하여 써 보세요.

1️⃣ 그는 변명처럼 구 절 구 절 한 설명을 늘어놓았다.

⇨ ☐☐☐☐하다

사연이나 내용이 매우 자세하고 간절하다.

2️⃣ 그들의 민낯이 만천하에 명 백 명 백 하게 드러났다.

⇨ ☐☐☐☐하다

의심할 여지가 없이 아주 뚜렷하다.

3️⃣ 형은 부모님께 한 거짓말이 들통날까 봐 궁 전 전 궁 하고 있다.

⇨ ☐☐☐☐하다

마음을 졸이며 걱정하다.

4️⃣ 이번 여행에서는 미 진 흥 진 한 일들이 많이 벌어질 것만 같다.

⇨ ☐☐☐☐하다

넘쳐흐를 정도로 흥미가 매우 많다.

5️⃣ 그는 퇴직한 후 시골에서 유 적 자 유 하며 전원생활을 즐기고 있다.

⇨ ☐☐☐☐하다

속세를 떠나 속박 없이 조용하고 편안히 살다.

6️⃣ 동네 갑부는 매일같이 잔치를 벌여 희 락 희 낙 하는 것이 일이었다.

⇨ ☐☐☐☐하다

매우 기뻐하고 즐거워하다.

타교과 어휘 사회

빈칸에 알맞은 낱말을 써서 문장을 완성해 보세요.

1 오랜 전쟁 끝에 두 나라는 휴전 협정 을 맺었다.
중요한 문제에 대해 의논하여 결정한 약속

2 두 정상이 만나 대화하면서 남북한의 교류 가 시작되었다.
사람들이 연락하며 의견이나 물건을
주고받고 하는 것

3 수입하는 원유 가격이 오르면 국내 휘발유 가격도 오른다.
땅속에서 뽑아내어 가공하지 아니한 그대로의 기름

4 동남아는 물론 중동에서도 한류 문화에 대한 열기가 뜨겁다.
우리나라의 대중문화가 외국에서 유행하는 현상

5 대통령은 나라의 발전을 위해 최선을 다하겠다고 서약 을 했다.
맹세나 약속하는 것

6 환경 오염을 줄이기 위해 시민 단체들이 모여 기구 를 설립하였다.
어떤 목적을 위하여 구성한 조직이나 기관

7 정부는 지진의 피해 현황 을 파악하여 복구 사업을 시행하기로 했다.
현재의 상황

8 세계 각국의 대표들이 회담 을 갖고, 평화를 유지하기 위한 방안을 논의했다.
문제와 관련된 사람들이 모여 하는 토의

밑줄 친 말의 알맞은 뜻을 찾아 번호를 써 보세요.

1 전쟁을 피해 수많은 <u>난민</u>이 피난길에 오르고 있다.   (   )

    ① 전쟁으로 인해 부상을 당한 사람

    ② 전쟁, 재해 등으로 집이나 재산을 잃은 사람

2 오늘날에도 아프리카의 많은 아이들은 <u>기아</u>에 허덕이고 있다.   (   )

    ① 먹을 것이 없어 굶주리는 것

    ② 제때 치료를 받지 못해 병이 악화되는 것

3 <u>국제 연합</u>은 다른 말로 '유엔(UN)'이라고도 한다.   (   )

    ① 세계 평화를 유지하고 전쟁을 막기 위해 만들어진 국제기관

    ② 세계의 무역이 공평하고 자유롭게 이루어질 수 있도록 만든 국제기관

4 시민들은 공정하고 깨끗한 선거를 치르기 위해 <u>캠페인</u>을 벌였다.   (   )

    ① 사회적 목적을 위해 조직적이고 지속적으로 행하는 운동

    ② 이윤을 만들어 내기 위해 조직적이고 지속적으로 행하는 운동

5 이번에 모금한 성금은 이웃을 돕기 위한 <u>구호 활동</u>에 쓰일 것이다.   (   )

    ① 가난한 사람에게 일정한 돈을 지원해 주는 활동

    ② 재해나 재난 따위로 어려움에 처한 사람을 돕고 보호하는 활동

6 엔지오(NGO)는 민간단체가 중심이 되어 만들어진 <u>비정부 기구</u>이다.   (   )

    ① 정부의 정책에 반대하는 개인들이 모인 조직

    ② 뜻이 같은 개인들이 지구촌의 여러 문제를 해결하고자 활동하는 조직

다음 빈칸에 낱말을 넣어 문장을 완성하세요.

사뭇

아주 딴판으로

예 저 사람은 예전과는 ☐☐ 달라졌다.

전전긍긍

마음을 졸이며 걱정함.

예 형은 합격 발표를 앞두고 ☐☐☐☐했다.

광활하다

막힌 데가 없이 트이고 넓게

예 언덕 아래로 ☐☐한 대지가 눈에 들어왔다.

가치관

대상에 대한 가치를 판단하는 기준

예 선생님을 만난 후로 나의 ☐☐☐이 변했다.

난민

전쟁, 재해 등으로 집이나 재산을 잃은 사람

예 사진 속에는 ☐☐들의 생활상이 그대로 드러나 있다.

흘깃흘깃

자꾸 가볍게 흘겨보는 모양

예 재채기를 하자 지나가는 사람들이 ☐☐☐☐ 쳐다보았다.

누각

사방을 볼 수 있도록 문과 벽이 없이 다락처럼 높이 지은 집

예 이 ☐☐에서 왕은 신하들과 나랏일을 논했다.

회담

문제와 관련된 사람들이 모여 하는 토의

예 두 나라 정상은 무역 갈등을 해결하기 위해 ☐☐을 가졌다.

고이

정성을 다하여

㉠ 그는 ☐☐ 기른 딸을 시집보냈다.

달성

목적한 것을 이룸.

㉠ 우리는 이달에 세운 목표를 ☐☐ 했다.

장관

훌륭하고 장대한 광경

㉠ 동네에 활짝 핀 벚꽃이 ☐☐ 을 이루었다.

실례

구체적인 실제의 예

㉠ 구체적인 ☐☐ 를 들어 이것을 설명해 보아라.

바락바락

화가 나서 잇따라 기를 쓰거나 소리를 지르는 모양

㉠ 아이가 골이 났는지 ☐☐☐☐ 악을 썼다.

협정

중요한 문제에 대해 의논하여 결정한 약속

㉠ 양국은 자유롭게 무역할 수 있는 ☐☐ 을 맺었다.

교류

사람들이 연락하며 의견이나 물건을 주고받고 하는 것

㉠ 교통의 발달로 두 지역의 ☐☐ 가 활발해졌다.

캠페인

사회적 목적을 위해 조직적이고 지속적으로 행하는 운동

㉠ 시민 단체가 환경 보호를 위한 ☐☐☐ 을 벌이고 있다.

6장 정보와 표현 판단하기

1 뉴스의 특성

우리는 중요한 사건 또는 정보를 뉴스를 통해 접해요. 사건이나 정보가 뉴스로서의 가치를 지니려면 몇 가지 특성을 갖추어야 해요.

다음은 뉴스의 특성을 정리한 것입니다. 빈칸에 알맞은 낱말을 [보기]에서 찾아 써 보세요.

보기

| 근접성 | 시의성 | 영향성 | 예외성 | 저명성 |

뉴스의 특성

- 얼마나 유명하고 권위가 있는 사람 또는 대상인가? ⇨ ☐

- 날마다 반복되지 않는 예외적인 정보나 사건인가? ⇨ ☐

- 시간적으로 얼마나 빠르게 전달되는 정보나 사건인가? ⇨ ☐

- 사회적으로 얼마나 큰 영향을 끼칠 수 있는 정보나 사건인가? ⇨ ☐

- 듣거나 보는 사람들에게 지리적 · 심리적으로 얼마나 가까운 정보나 사건인가? ⇨ ☐

2 주제별 어휘 1 뉴스

뉴스의 목적은 사실적 정보를 발 빠르고 신속하게 대중에게 전달하는 것이에요.

🖉 글 상자의 낱말을 따라 쓰고, 그에 알맞은 뜻을 찾아 번호를 써 보세요.

1 오후부터는 날이 갠다는 기상대의 | 예 | 보 |가 있었다.　　　　(　)

① 앞으로 일어날 일 등을 알리는 소식
② 앞으로 일어날 위험에 대비하도록 미리 알리는 신호

2 정치인들은 국민의 | 여 | 론 |에 귀를 기울여야 한다.　　　　(　)

① 좋아하거나 즐겨서 쏠리는 개개인의 마음
② 사회적인 일에 대한 대중의 공통된 의견이나 평

3 내일 신문에 사건 현장을 | 취 | 재 |한 기사가 날 것이다.　　　　(　)

① 신문이나 잡지에 실을 기사의 재료를 얻는 일
② 기사나 글을 모으고 정리하여 알맞게 짜 맞추는 것

4 뉴스 진행자는 오늘 일어난 화재 소식을 | 보 | 도 |하였다.　　　　(　)

① 어떤 사실을 덮어 감추고 숨기는 것
② 어떤 사실을 신문, 방송 매체를 통해 알리는 것

5 방송국은 외국의 전쟁 상황을 알리기 위해 | 특 | 파 | 원 |을 보냈다. (　)

① 특별한 뉴스를 전하려고 외국으로 파견한 사람
② 나라를 대표하여 일정한 사명을 띠고 외국에 파견된 사람

3 주제별 어휘 2 질병 예방

'질병'은 '몸에 생기는 온갖 병'을 이르는 말이에요. 질병은 병원체가 일으키는 감염성 질병과 그 밖의 비감염성 질병으로 나뉘어요.

✎ 주어진 뜻을 보고 빈칸에 알맞은 낱말을 써 보세요.

감기나 ❶□과 같은 질병을 일으키는 ❷□를 병원체라고 해요. 우리는 생활 속에서 병원체에 쉽게 노출될 수 있는데, ❸□을 기르면 병원체가 우리 몸속에 들어오더라도 힘을 쓰지 못하고 사라져요. 보통 병원체는 우리의 피부에 막혀 몸속으로 들어오지 못해요. 하지만 입이나 코를 통해 병원체가 침투하면 ❹□될 수도 있어요. 이를 예방하기 위해서는 평상시에 운동을 통해 체력을 기르고, 수시로 손을 깨끗이 씻는 등의 개인의 ❺□ 관리를 철저하게 할 필요가 있어요.

❶ 매우 독한 유행성 감기 ⇨ [ㄷ][ㄱ]

❷ 세포에 기생하고, 세포 안에서 번식하는 작은 미생물 ⇨ [ㅂ][ㅇ][ㄹ][ㅅ]

❸ 몸 밖에서 들어온 병균을 이겨 내는 몸의 힘 ⇨ [ㅁ][여][력]

❹ 병균이 몸에 옮아서 병에 걸리는 것 ⇨ [ㄱ][ㅇ]

❺ 건강에 해로운 요소를 없애고 건강을 보호하고 북돋는 일 ⇨ [ㅇ][새]

86

4 잘못 쓰기 쉬운 말 등굣길

> 합쳐진 말을 이루는 낱말 중 적어도 하나가 순우리말일 때는 사이시옷을 받치어 적어요.
> 단, 뒤에 된소리나 거센소리로 시작하는 말이 오면 사이시옷을 쓰지 않아요.

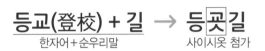

등교(登校) + 길 → 등굣길
한자어+순우리말   사이시옷 첨가

된소리
나무 + 꾼 → 나무꾼
순우리말+순우리말   사이시옷 ✕

✎ 다음 문장에서 알맞은 낱말을 찾아 ○표 하고, 바르게 써 보세요.

❶ 아낙네가 (내가 / 냇가)에서 빨래를 한다.

❷ 산 (위쪽 / 윗쪽)을 향해 발걸음을 옮기다.

❸ 동생은 매일 (아래집 / 아랫집) 아이와 논다.

❹ (전세집 / 전셋집)을 구하려면 부동산에 가야 한다.

❺ 사공이 (나루배 / 나룻배)를 타고 강을 건너고 있다.
　　　　　　강이나 내를 오가는 작은 배

❻ 수저통에 들어 있는 숟가락의 (개수 / 갯수)가 두 개뿐이다.

❼ 경쟁에서 이기려면 상대의 (허점 / 헛점)을 파고들어야 한다.
　　　　　　불충분하거나 허술한 점

87

5 뜻이 반대인 말 최선/최악

✏️ 다음 문장을 자연스럽게 고치려고 해요. 글자 박스 중 하나를 바꿔 반대말로 만들어 보세요.

① 최 선 의 상황을 가정하고 대책을 세우자. ➡️ ☐ ☐

가장 나쁨.

② 여행을 갈 때에는 사 후 준비를 철저히 해야 한다. ➡️ ☐ ☐

일을 시작하기 전

③ 철 새 는 일 년 내내 한 지역에서만 번식하고 산다. ➡️ ☐ ☐

자리를 옮기지 않고
한 지방에서 사는 새

④ 나는 원 시 때문에 항상 교실 앞자리에 앉는다. ➡️ ☐ ☐

멀리 있는 것을 선명히
보지 못하는 시력

⑤ 체구가 작은 그는 중 량 급 에 속한다. ➡️ ☐ ☐ ☐

가벼운 편에 속하는 체급

⑥ 부모의 과보호 속에서 자란 아이는 이 타 적 이다. ➡️ ☐ ☐ ☐

자기의 이익만을 꾀하는 것

⑦ 계약에 따르면 임 차 인 은 월세를 지나치게 올릴 수 없다.

➡️ ☐ ☐ ☐

돈을 받고 물건을 빌려준 사람

⑧ 단 거 리 운전을 할 때에는 틈틈이 휴식을 취하는 것이 좋다.

➡️ ☐ ☐ ☐

먼 거리

6 합쳐진 말 등하교

두 낱말이 합쳐져 하나의 낱말을 이룰 때, 중복되는 글자가 생략되기도 해요.

등교 + 하교 → 등하교

✏️ 주어진 낱말을 합쳐진 말로 바꿔 빈칸에 써 보세요.

1   동양   +   서양

⇨ 사람이란 [　　　　]을 막론하고 다 같은 법이다.

2   오월   +   유월

⇨ [　　　　] 땡볕에 농부들이 열심히 일을 하고 있다.

3   오십   +   육십

⇨ 그 사내의 나이는 적어도 [　　　　] 세는 되어 보였다.

4   관악기   +   현악기

⇨ 그는 [　　　　]를 연주하는 사람들을 모아 오케스트라를 만들었다.

5   장점   +   단점

⇨ 담임 선생님은 우리 반 아이들의 [　　　　]을 모두 파악하고 있었다.

7 행동을 당하는 말 배출되다

'-되'를 덧붙여서 남에게 행동을 당하는 낱말을 만들 수 있어요.

~을/를 **배출하다** → ~이/가 **배출되다**

빈칸에 알맞은 낱말을 [보기]의 낱말 쌍에서 찾아 써 보세요.

보기

배출하다 – 배출되다 　　수출하다 – 수출되다 　　생포하다 – 생포되다
입증하다 – 입증되다 　　제공하다 – 제공되다

① ┌ 사냥꾼이 여우를 _____.

　└ 여우가 사냥꾼에게 _____.

② ┌ 공장의 폐수가 바다로 _____.

　└ 공장의 폐수를 바다로 _____.

③ ┌ 경찰이 범죄 혐의를 _____.

　└ 경찰에 의해 범죄 혐의가 _____.

④ ┌ 숙박 시설이 여행객들에게 _____.

　└ 여행객들에게 숙박 시설을 _____.

⑤ ┌ 대한민국의 특산품이 해외로 _____.

　└ 대한민국의 특산품을 해외로 _____.

8 한자어 보호

✏️ 빈칸에 알맞은 낱말을 쓰고, 이에 공통으로 쓰인 한자를 찾아 ○표 하세요.

1 이 물건은 크기가 작아서 ▢▢ 이 간편하다.
물건을 맡아서 간직하고 관리하는 것

규정상 학교는 ▢▢ 시설을 갖추고 있어야 한다.
체육, 영양, 병의 예방과 치료 등으로 건강을 지키는 일

산림 ▢▢ 를 위해 당분간 등산객의 입산을 금지할 계획이다.
잘 지켜 원래대로 보존되게 하는 것

① 報
갚을 보

② 保
지킬 보

③ 寶
보배 보

④ 俌
도울 보

2 양조장은 술을 ▢▢ 하는 곳이다.
원료를 가공하여 물품을 만듦.

영화 규모가 커서 ▢▢ 에 드는 비용이 만만치 않다.
기술을 들여 물건이나 작품을 만드는 일

① 制
절제할 제

② 諸
모두 제

③ 製
지을 제

④ 齊
가지런할 제

3 아버지는 어머니와 가사를 ▢▢ 하신다.
일을 나누어서 함.

이사철을 맞아 여기저기 주택 ▢▢ 광고가 넘쳐 난다.
토지나 건물 따위를 나누어 팖.

화재가 난 원인을 ▢▢ 하여 잘잘못을 따질 필요가 있다.
내용을 하나하나 따져서 밝힘.

① 分
나눌 분

② 粉
가루 분

③ 坋
뿌릴 분

④ 奮
떨칠 분

9 외래어 표기 핼러윈

✏️ 다음 문장에 알맞은 낱말을 찾아 ○표 하고, 바르게 써 보세요.

1 노트르담 대성당은 프랑스 (파리 / 빠리)에 있다.
프랑스의 수도 ⇨ ▢▢

2 텔레비전 (리모컨 / 리모콘)을 찾아 방 안을 샅샅이 뒤졌다.
멀리 떨어진 기기를 조종하는 장치
⇨ ▢▢▢

3 (할로윈 / 핼러윈) 축제를 맞아 분장한 사람들이 거리를 메웠다.
괴상한 복장을 하고 즐기는 축제
⇨ ▢▢▢

4 우리 모둠은 실험 결과를 바탕으로 (리포트 / 레포트)를 작성했다.
조사, 연구, 실험의 결과에 관한 글이나 문서
⇨ ▢▢▢

5 정부는 여론을 파악하기 위해 (앙케트 / 앙케이트)를 실시했다.
설문 조사
⇨ ▢▢▢

6 이번 (페스티발 / 페스티벌)에는 유명 인사들이 참석할 예정이다.
축하하여 벌이는 큰 규모의 행사
⇨ ▢▢▢▢

10 끝말잇기

✏️ 빈칸에 알맞은 낱말을 넣어 끝말잇기를 완성해 보세요.

ㄱ ㄷ ㅊ

가정은 부모와 자녀가 모여 이룬 [ ][ ][ ]이다.
생활이나 행동 또는 목적 따위를 같이하는 집단

ㅊ ㄱㅕ

긴 협상 끝에 두 회사는 계약을 [ ][ ]하였다.
계약이나 조약 따위를 공식적으로 맺음.

ㄱㅕ ㅅ

선수들은 올림픽에서 금메달을 따겠다고 [ ][ ]을 했다.
마음을 굳게 정함.

ㅅ ㄱ ㅅ

우리는 답사를 통해 환경 오염의 [ ][ ][ ]을 알 수 있었다.
심각한 상태를 띤 성질

ㅅ ㄱ ㄱ

[ ][ ][ ]은 오늘날의 국립 대학과 비슷하다.
조선 시대에 유교 교육을 맡았던 최고의 국립 교육 기관

ㄱ ㅈ

[ ][ ]에 따라 같은 사건이 다르게 해석될 수 있다.
대상을 보거나 생각하는 개인의 입장이나 방법

ㅈ ㅇ

우리 회사는 국내 자동차 시장을 [ ][ ]했다.
물건이나 영역, 지위 따위를 차지함.

ㅇ ㅇ

자연재해로 피해를 입은 지역에 [ ][ ]의 구호품이 전달되었다.
세계 평화를 유지하기 위해 만들어진 국제기관

✏️ 주어진 뜻을 보고, 빈칸에 알맞은 말을 써 보세요.

❶ 는 생물과 비생물로 구성된다. 생물 요소는 식물인 ❷ , 동물인 ❸ 및 자연계의 청소부 역할을 하는 ❹ 로 구분이 된다. 이들은 먹고 먹히는 ❺ 로 얽혀 있다. 비생물 요소로는 태양으로부터 지구로 유입되는 빛 에너지, 산소와 이산화탄소를 포함한 수증기 등으로 이루어진 대기, 그리고 생물들의 ❻ 가 되는 토양 등이 있다.

❶ 생물들이 서로 관계를 맺으며 조화를 이루는 자연의 세계 ⇨ | ㅅ | ㅌ | ㄱ |

❷ 살아가는 데 필요한 양분을 스스로 만드는 생물 ⇨ | ㅅ | ㅅ | 자 |

❸ 다른 생물을 먹이로 하여 살아가는 생물 ⇨ | ㅅ | ㅂ | 자 |

❹ 죽은 생물이나 배출물을 분해하여 양분을 얻는 생물 ⇨ | ㅂ | ㅎ | 자 |

❺ 생물 간의 먹이 관계가 연결되어 있는 것 ⇨ | 머 | 이 | ㅅ | ㅅ |

❻ 생물 따위가 일정한 곳에 자리를 잡고 사는 곳 ⇨ | ㅅ | ㅅ | 지 |

✏️ 괄호 안의 알맞은 표현을 찾아 ○표 하고, 직접 써 보세요.

1 햇볕이 강하여 (지상면 / 지표면)이 뜨거워졌다.
땅의 거죽
⇨ [　　　]

2 원기둥의 (수평도 / 평면도)를 그리면 원이 된다.
대상을 수평 방향으로 잘라 위에서 보고 그린 도면
⇨ [　　　]

3 지구는 하루에 한 번을 주기로 (공전 / 자전)한다.
천체가 스스로 고정된 축을 중심으로 회전함.
⇨ [　　　]

4 인공위성은 지구의 (궤도 / 귀로)를 따라 돌고 있다.
사물이 따라서 움직이도록 정해진 길
⇨ [　　　]

5 그가 학계에 제시한 (가설 / 정설)은 20년 만에 증명되었다.
어떤 사실을 설명하기 위해 임시로 만든 가정
⇨ [　　　]

6 태양의 (각도 / 고도)는 춘분이 지나면서부터 섬섬 높아진다.
천체가 지평선이나 수평선과 이루는 각
⇨ [　　　]

7 연소가 되려면 온도가 (발화점 / 소화점) 이상이 되어야 한다.
어떤 물질이 불이 붙어 타기 시작하는 온도
⇨ [　　　]

다음 빈칸에 글자를 넣어 낱말을 완성하세요.

1 □점 — 불충분하거나 허술한 점

2 임□인 — 돈을 받고 물건을 빌려준 사람

3 오□월 — 오월과 유월을 아울러 이르는 말

4 □스티□ — 축하하여 벌이는 큰 규모의 행사

5 □화점 — 어떤 물질이 불이 붙어 타기 시작하는 온도

6 면□력 — 몸 밖에서 들어온 병균을 이겨 내는 몸의 힘

7 유□ — 세계 평화를 유지하기 위해 만들어진 국제기관

8 보□ — 어떤 사실을 신문, 방송 매체를 통해 알리는 것

9 □론 — 사회적인 일에 대한 대중의 공통된 의견이나 평

10 보□ — 체육, 영양, 병의 예방과 치료 등으로 건강을 지키는 일

정답 1. 허   2. 대   3. 뉴   4. 페, 벌   5. 발   6. 역   7. 엔   8. 도   9. 여   10. 건

11 앙　트

설문 조사

12 분

토지나 건물 따위를 나누어 팖.

13 러윈

괴상한 복장을 하고 즐기는 축제

14 도

사물이 따라서 움직이도록 정해진 길

15 작

기술을 들여 물건이나 작품을 만드는 일

16 새

자리를 옮기지 않고 한 지방에서 사는 새

17 먹　사

생물 간의 먹이 관계가 연결되어 있는 것

18 특　원

특별한 뉴스를 전하려고 외국으로 파견한 사람

19 면도

대상을 수평 방향으로 잘라 위에서 보고 그린 도면

20 성　관

조선 시대에 유교 교육을 맡았던 최고의 국립 교육 기관

정답　**11.** 케　**12.** 양　**13.** 핼　**14.** 궤　**15.** 제　**16.** 텃　**17.** 이, 슬　**18.** 파　**19.** 평　**20.** 균

7장 글 고쳐 쓰기

1 꾸며 주는 말 만약

🖉 밑줄 친 부분에 주의하며 빈칸에 알맞은 낱말을 [보기]에서 찾아 써 보세요.

보기

결코	과연	만약	설마	아마	차마

1 저 얘기는 [　　　] 열 번도 더 <u>했을 것이다</u>.
　　　확실하게 말하기는 어렵지만

2 가난한 것은 [　　　] 부끄러운 것이 <u>아니다</u>.
　　　어떤 일이 있어도 절대로

3 [　　　] 민수가 영희의 사과를 순순히 <u>받아 줄까?</u>
　결과에 있어서도 참으로

4 이번 여행에 [　　　] 나를 빼놓고 가지는 <u>않겠지?</u>
　　　그럴 리는 없겠지만

5 영화 속 무서운 장면을 [　　　] 눈 뜨고 볼 수가 <u>없었다</u>.
　　　아무리 해도

6 [　　　] 나에게 기회가 <u>온다면</u>, 절대로 놓치지 않을 것이다.
　만일

더 알아두기

꾸며 주는 말 중에서 특정한 서술어와 주로 어울려 쓰이는 것들이 있어요.

- 과연 ~ 할까
- 차마 ~ 없다
- 만약~ 한다면
- 설마 ~ 할까
- 아마 ~ 할 것이다
- 결코 ~ 아니다(없다)

2 모양을 흉내 내는 말 푸석푸석

✏️ 밑줄 친 낱말을 고쳐 쓰기에 알맞은 낱말을 [보기]에서 찾아 써 보세요.

보기

또박또박	번지르르	산들산들	아삭아삭
오들오들	파릇파릇	푸석푸석	

① 나는 선생님의 물음에 <u>저릿저릿</u> 대답했다.

말이나 글씨 등이 조리 있고 또렷한 모양

② 그는 사과를 한 입 베어 <u>바삭바삭</u> 씹어 먹었다.

과일이나 채소 등을 베어 물 때 나는 소리

③ 누군가 다가오는 소리에 몸을 <u>건들건들</u> 떨었다.

춥거나 무서워서 몸을 심하게 떠는 모양

④ 봄이 되면 산과 들에 <u>삐죽삐죽</u> 풀이 돋아난다.

군데군데 파르스름한 모양

⑤ 며칠 잠을 못 잤더니 얼굴이 <u>보들보들</u> 건조해 보인다.

살이 부어오른 듯하고 거친 모양

⑥ 솔솔 불어오는 바람에 나뭇가지가 <u>후들후들</u> 흔들렸다.

바람에 물건이 가볍게 흔들리는 모양

⑦ 기름진 음식을 먹었더니 얼굴에 기름기가 <u>주룩주룩</u> 흐른다.

기름기가 묻어 윤이 나고 미끄러운 모양

3 주제별 어휘 증세

병을 앓게 되면 그에 따른 증세가 나타나게 돼요. 겉으로 드러나는 증세를 보고 의사나 약사 등의 전문가가 진단하고 처방을 내지요.

✎ 빈칸에 알맞은 낱말을 주어진 글자 카드로 만들어 써 보세요.

| 경 | 구 | 련 | 빈 | 토 | 혈 |

❶ 신체가 허약해지면 ☐☐ 증상이 나타나기 쉽다.
핏속에 적혈구나 혈색소가 줄어든 상태

❷ 급식을 먹은 아이들이 집단으로 ☐☐ 증세를 보였다.
먹은 음식물을 토함.

❸ 카페인을 너무 많이 섭취하면 일시적인 ☐☐이 일어날 수 있다.
근육이 이유 없이 수축하거나 떨리는 현상

| 마 | 발 | 비 | 오 | 작 | 한 |

❹ 감기 몸살이 올 때에는 미열과 ☐☐이 생기곤 한다.
몸이 오슬오슬 춥고 떨리는 증상

❺ 베토벤은 청각이 ☐☐되었지만, 작곡에 더욱 전념하였다.
신경이나 근육이 형태의 변화 없이 기능을 잃어버리는 일

❻ 병을 앓고 있던 아이는 갑자기 부르르 떨며 ☐☐하기 시작했다.
병의 증세나 부정적인 움직임 등이 갑자기 세차게 일어남.

100

4 잘못 쓰기 쉬운 말 앳되다

✏️ 다음 문장에 알맞은 낱말에 ○표 하고, 바르게 써 보세요.

1 어머니는 쌀 한 (움큼 / 웅큼)으로 밥을 지었다.
손으로 한 줌 움켜쥘 만한 분량을 세는 단위

⇨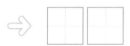

2 그녀의 (애띤 / 앳된) 얼굴에 모두 화들짝 놀랐다.
애티가 있어 어려 보이는

⇨

3 형은 (밤새 / 밤세) 공부를 하느라 한숨도 못 잤다.
밤이 지나는 동안. 밤사이

⇨

4 우리에게 구체적인 (사레 / 사례)를 제시해 주십시오.
어떤 일이 전에 실제로 일어난 예

⇨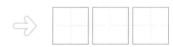

5 음식점에서 (맛배기 / 맛보기) 행사가 펼쳐진다.
맛을 보도록 조금 내놓은 음식

⇨

6 아버지는 왕년에 (한가닥 / 한가락) 하던 재주꾼이었다.
어떤 방면에서 썩 훌륭한 재주나 솜씨

⇨

7 40대 (뇌졸증 / 뇌졸중) 환자가 급속하게 늘어나고 있다.
뇌에 핏줄이 막혀 의식을 잃고 몸에 장애가 생기는 증상

⇨

5 바꿔 쓸 수 있는 말 거르다

✏️ 밑줄 친 낱말의 기본형을 쓰고, 그와 바꿔 쓸 수 있는 낱말을 [보기]에서 찾아 써 보세요.

보기

| 거르다 | 교정하다 | 막대하다 | 신선하다 | 원활하다 | 지속되다 |

1 오늘따라 출근 시간에 교통의 흐름이 순조롭다.

⇒ 순조롭다 ≒ [　　　]

일 따위가 아무 탈이나 말썽 없이 예정대로 잘되어 가다.

2 늦잠을 자서 아침을 건너뛰고 학교에 갔다.

⇒ [　　　] ≒ [　　　]

한 차례를 빼고 지나가다.

3 두 학교 간의 교류는 십여 년 동안 유지되었다.

⇒ [　　　] ≒ [　　　]

변함없이 계속되다.

4 바다에서 갓 잡아 올린 생선이 무척 싱싱해 보인다.

⇒ [　　　] ≒ [　　　]

시들거나 상하지 아니하고 생기가 있다.

5 선생님은 곧 출간할 자서전의 원고를 수정하고 있다.

⇒ [　　　] ≒ [　　　]

고치어 정돈하다.

6 이번 전염병으로 인해 경제에 엄청난 피해가 예상된다.

⇒ [　　　] ≒ [　　　]

짐작이나 생각보다 정도가 아주 심하다.

6 한자어 복(復), 투(投), 염(炎)

밑줄 친 낱말들 중 주어진 한자가 쓰이지 않은 것을 찾아 ✔표 하세요.

1 復 돌아올 복

☐ 정부는 훼손된 문화재를 복원하기로 결정하였다.
원래대로 회복함.

☐ 휴가 나왔던 삼촌은 부대로 복귀하였다.
떠났다가 원래의 자리로 되돌아옴.

☐ 영화, 음악 등을 불법으로 복제하는 것은 범죄이다.
본래의 것과 똑같이 만듦.

☐ 잠시 휴학했던 언니는 이번 학기에 복학하기로 하였다.
학교를 떠나 있던 학생이 다시 학교에 나감.

2 投 던질 투

☐ 투표는 국민이 정치에 참여하는 방법 중 하나이다.
선거를 할 때 자기의 의사를 표시하여 내는 일

☐ 요즘 학생들은 어려움을 극복하려는 투지가 부족하다.
어려움에 맞서려는 굳센 마음

☐ 환자에게 치료제를 투약하자 곧바로 효과가 나타났다.
약을 지어 주거나 씀.

☐ 우리 기업은 금융 산업에 막대한 자금을 투자하기로 했다.
이익을 얻으려고 미리 돈을 들이는 일

3 炎 불탈 염

☐ 지루한 분위기에 염증이 나서 자리를 옮겼다.
내키지 않거나 싫어하는 마음

☐ 심한 감기는 폐렴으로 발전할 가능성이 있다.
폐에 생기는 염증

☐ 한동안 일에 신경을 많이 써서 그런지 위염이 도졌다.
위에 생기는 염증

☐ 음식을 제대로 익혀 먹지 않으면 장염에 걸릴 수 있다.
장에 생기는 염증

7 올바른 발음 인류[일류], 달님[달림]

'ㄴ'이 앞이나 뒤에 오는 'ㄹ'의 영향을 받으면, 'ㄹ'로 바뀌어 소리 나요.

인류 → [일류]
'ㄴ'뒤에 'ㄹ'이 올 때

달님 → [달림]
'ㄴ'앞에 'ㄹ'이 올 때

✏️ 밑줄 친 낱말의 알맞은 발음을 찾아 ○표 하세요.

1 어둠 속에서 <u>칼날</u>이 반뜻 빛났다. ⇨ [칼날] [칼랄]

2 이 탑은 <u>신라</u> 시대에 만든 것이다. ⇨ [신라] [실라]

3 올해의 <u>생산량</u>이 작년보다 두 배나 늘었다. ⇨ [생산냥] [생살량]

4 그녀가 집을 나서려던 <u>찰나</u> 전화가 걸려 왔다. ⇨ [찰나] [찰라]
어떤 일이 일어나는
바로 그때

5 어미와 헤어진 강아지가 낑낑 <u>앓는</u> 소리를 낸다. ⇨ [알른] [알는]

6 <u>끓는</u> 물에 데친 채소에 갖은 양념을 넣고 버무렸다. ⇨ [끌른] [끓른]

더 알아두기

한자어에 '란, 량, 력, 례, 령' 등이 덧붙은 낱말은 예외적으로 'ㄴ ㄹ'을 'ㄴ ㄴ'으로 발음해요.

• 의견란 → [의견난] • 생산력 → [생산녁]

104

8 뜻이 반대인 말 부/불(不)-

부정의 뜻을 나타내는 한자 '不'은 '부'와 '불' 두 가지 소리를 가지고 있어요. 뒤에 오는 낱말의 첫 자음이 'ㄷ'이나 'ㅈ'일 때는 '부-'로, 그 밖의 경우는 '불-'로 읽고 적어요.

불(不) + 작용 → 부작용
'ㅈ'이므로

불(不) + 균형 → 불균형
'ㄷ, ㅈ'이 아니므로

✏️ 빈칸에 알맞은 낱말을 써서 문장을 완성해 보세요.

1 상대편에게만 작전 시간을 주는 것은 | ㅂ | ㄱ | 펴 |하다.
한쪽으로 치우쳐 고르지 못함.

2 주변 경관과 | ㅂ | 조 | ㅎ |한 고층 건물이 눈에 거슬렸다.
서로 잘 어울리지 아니함.

3 발음이 | ㅂ | ㅈ | 화 |하면 다른 사람이 알아듣기가 어렵다.
바르지 아니하거나 확실하지 아니함.

4 | ㅂ | ㄱ | ㅊ |한 식습관은 위장 장애를 불러일으킬 수 있다.
규칙에서 벗어나 있음.

5 지구는 인간이 살기에 | ㅂ | 저 | 하 |한 곳이 되어 가고 있다.
일이나 조건 따위에 꼭 알맞지 아니함.

6 말과 행동이 | ㅂ | 이 | ㅊ |하면 사람들에게 신뢰를 주기 힘들다.
의견이나 생각이 서로 어긋나서 맞지 아니함.

7 그는 자신의 실수로 | ㅂ | ㅇ | 이 |을 당하지 않을까 걱정하고 있다.
이익이 되지 아니하고 손해가 되는 데가 있음.

105

9 띄어쓰기 없다

눈치 없다

어이없다
하나의 낱말이 됨.

✏️ 다음 문장을 주어진 횟수에 따라 바르게 띄어 써 보세요.

1 이것은진짜와다름없다. (2회)

이											

2 내말을듣지않으면재미없다. (4회)

내											
미											

3 우리는틀림없이이길것이다. (3회)

우											
이											

4 몹쓸병에는어떤약도소용없다. (4회)

몹											
소											

10 낱말 퀴즈

✎ 주어진 뜻을 참고하여 빈칸에 알맞은 글자를 써 보세요.

1 ㉠ 하루하루의 끼니
  ㉡ 나라 일을 하는 데 드는 비용을 국민이나 단체에게
    걷는 돈

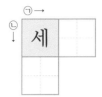

2 ㉢ 격이 낮고 속된 말
  ㉣ 특수한 집단에서 자기네들끼리만 쓰는 말

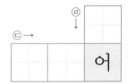

3 ㉤ 생명을 위협하는. 또는 그런 것
  ㉥ 딱 잘라서 판단하고 결정하는. 또는 그런 것

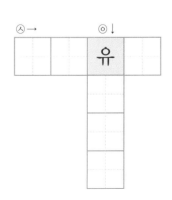

4 ㉦ 다음 세대에게 계승할 만한 가치를 지닌 문화재나
    문화 양식
  ㉧ 상품이 유통될 수 있는 정해진 시기

타교과 어휘 도덕

빈칸에 알맞은 낱말을 [보기]에서 찾아 써 보세요.

보기

기구 번영 신뢰 제도 편익 편찬 합작

① 현대인들은 기술의 발달로 많은 [　　　]을 얻었다.

편리함과 유익

② 부도덕한 행위를 한 지도자는 국민의 [　　　]를 잃는다.

굳센 믿음

③ 국어사전을 [　　　]하는 데는 많은 시간과 노력이 필요하다.

여러 가지 자료를 모아 체계적으로 정리하여 책을 만듦.

④ 우리 민족의 [　　　]과 인류의 평화를 위해 국토는 통일되어야 한다.

경제 활동이 활발하여 물질적으로 풍성하게 되는 것

⑤ 이 회사는 외국 기업과 [　　　]하여 현재의 위기를 극복하기로 하였다.

기업을 운영하는 일을 여럿이 힘을 합하여 함.

⑥ 우리나라는 모든 국민을 대상으로 한 건강 보험 [　　　]를 마련하였다.

한 사회나 기관을 유지하는 데 필요한 원칙과 규범

⑦ 기후 변화에 대응하기 위해 각 나라 정상들은 [　　　]를 설립하는 데 합의하였다.

어떤 목적을 위하여 구성한 조직이나 기관

카드를 왼쪽에서 하나, 오른쪽에서 하나씩 꺼내 문장에 들어갈 말을 만들어 써 보세요.

노동	재외		무역	환경	동포
비무장	공정	인종		관계	협정
휴전	대인		차별		지대

① 그 사람은 성격이 좋아 [   ] [   ] 가 원만하다.
사람을 대하고 사귀는 일

② 오랜 전쟁 끝에 두 나라는 [   ] [   ] 을 맺었다.
전쟁을 얼마간 멈추기로 한 정식 약속

③ [   ] [   ] 들도 불우 이웃 돕기 성금을 보내 주었다.
국외에 거주하는 우리 민족

④ [   ] [   ] 에는 아직 제거되지 않은 지뢰가 많이 남아 있다.
군사 시설이나 인원을 배치해 놓지 않은 곳을 통틀어 이르는 말

⑤ 노동자들은 경영자에게 [   ] [   ] 을 개선할 것을 요구하였다.
노동자가 일하는 직장의 작업 환경

⑥ 세계 곳곳에서 [   ] [   ] 을 없애기 위한 노력이 계속되고 있다.
인종에 따라 사람을 높게 또는 낮게 대우하는 것

⑦ 그 가게에서는 [   ] [   ] 으로 들여온 질 좋은 커피를 싼 가격에 판매한다.
상호 간의 혜택이 동등한 가운데 이루어지는 무역

다음 빈칸에 낱말을 넣어 문장을 완성하세요.

치명적
생명을 위협하는. 또는 그런 것
⑩ 독사의 독은 □□□이다.

오한
몸이 오슬오슬 춥고 떨리는 증상
⑩ □□으로 온몸이 바르르 떨렸다.

파릇파릇
군데군데 파르스름한 모양
⑩ 화분에서 □□□□ 새싹이 돋아났다.

한가락
어떤 방면에서 썩 훌륭한 재주나 솜씨
⑩ 젊은 시절 □□□ 하지 않은 사람은 없다.

투자
이익을 얻으려고 미리 돈을 들이는 일
⑩ 사장님은 잘못된 □□로 큰 손실을 입었다.

비속어
격이 낮고 속된 말
⑩ 가짜나 모조품을 이르는 □□□□는 '짝퉁'이다.

순조롭다
일 따위가 아무 탈이나 말썽 없이 예정대로 잘되어 가다.
⑩ 공사가 □□□□게 잘 진행되고 있다.

뇌졸중
뇌에 핏줄이 막혀 의식을 잃고 몸에 장애가 생기는 증상
⑩ 김 과장은 갑자기 □□□으로 쓰러졌다.

차마

아무리 해도

예 그의 부탁을 □□ 거절할 수 없었다.

부적합

일이나 조건 따위에 꼭 알맞지 아니함.

예 이 물은 식수로 □□□ 하다.

편익

편리함과 유익

예 인공 지능은 인간에게 □□ 을 제공한다.

찰나

어떤 일이 일어나는 바로 그때

예 잠이 들려는 □□ 알람이 시끄럽게 울렸다.

유통 기한

상품이 유통될 수 있는 정해진 시기

예 □□□□ 은 상품의 겉면에 표시되어 있다.

경련

근육이 이유 없이 수축하거나 떨리는 현상

예 화가 치미는지 그의 얼굴에 □□ 이 일었다.

복귀

떠났다가 원래의 자리로 되돌아옴.

예 우리 팀은 출장을 다녀오자마자 회사로 □□ 했다.

편찬

여러 가지 자료를 모아 체계적으로 정리하여 책을 만듦.

예 시인들의 작품을 모아 시집을 □□ 하였다.

1 주제별 어휘 1 오대양, 육대주

세계는 크게 다섯 개의 큰 바다와 여섯 개의 큰 대륙으로 나눌 수 있어요. 이 때문에 세계를 가리킬 때 '오대양, 육대주'라고 해요.

✏️ 다음 설명에 알맞은 낱말을 그림에서 찾아 써 보세요.

① 아메리카와 유럽 사이에 있는 넓은 바다 ⇨ [　　　]

② '북미'라고 하여, 멕시코, 미국, 캐나다 등이 속한 대륙 ⇨ [　　　]

③ 오스트레일리아를 비롯해 뉴질랜드, 사모아 등의 섬들이 속해 있는 대륙 ⇨ [　　　]

④ 한국, 중국, 인도, 시베리아, 아라비아 등이 속한 세계에서 가장 큰 대륙 ⇨ [　　　]

⑤ 아시아, 아메리카, 오스트레일리아의 세 대륙에 둘러싸여 있는 세계에서 가장 큰 바다 ⇨ [　　　]

2 주제별 어휘 2 상단

옛날에는 다른 나라와 규모가 큰 물품을 거래할 때, 개인이 담당하기 어려웠기 때문에 상인 조직인 상단이 이에 관한 전반적인 업무를 담당했어요.

✏️ 글 상자의 낱말을 따라 써 보고, 그에 알맞은 뜻을 찾아 번호를 써 보세요.

1 세계 각국은 무 역 을 통해 서로 재화를 교환한다.　　　　（　　）

① 나라와 나라 사이에 서로 물품을 매매하는 일
② 사람을 태워 보내거나 물건 따위를 실어 보내는 일

2 전국에서 온 상인들이 객 주 에 모여들어 북적거렸다.　　　　（　　）

① 상인들의 물건을 맡아 팔던 일을 하던 집
② 길가에서 밥과 술을 팔고, 돈을 받고 나그네를 묵게 하는 집

3 보 부 상 은 물건을 팔기 위해 전국 방방곡곡을 누볐다.　　　　（　　）

① 봇짐장수와 등짐장수를 통틀어 이르는 말
② 밑천을 많이 가지고 장사를 크게 하는 상인

4 가게 주인은 물건의 거래 내용을 장 부 에 꼼꼼히 적어 두었다.　　　　（　　）

① 필요할 때 쓰기 위한 대책이나 방책 등을 적어 두는 책
② 물건의 판매 내역이나 수입과 지출에 대한 계산을 적어 두는 책

5 복덕방은 집이나 땅 등을 사고파는 일에 대한 중 개 를 담당한다.　　　　（　　）

① 제삼자로서 두 당사자 사이에서 일을 주선하는 것
② 제삼자로서 남의 이익을 위하여 변명하고 감싸서 도와주는 것

6 고대에는 동서 교 역 로 인 비단길을 통해 물건을 거래했다.　　　　（　　）

① 여러 가지 상품을 사고파는 일정한 장소
② 상인이 물건을 사고팔고 바꾸기 위하여 지나다니는 길

3 상태를 나타내는 말 경이롭다

✏️ 빈칸에 알맞은 낱말을 [보기]에서 찾아 써 보세요.

보기			
경이롭다	정갈하다	진귀하다	초라하다

①

➡️ 선비의 차림새가 [   ].

허술하고 보잘것없다.

②

➡️ 나무의 생명력이 [   ].

놀랍고 신기한 데가 있다.

③

➡️ 산삼과 같은 약초는 [   ].

보배롭고 보기 드물게 귀하다.

④

➡️ 어머니가 만든 음식이 [   ].

깨끗하고 깔끔하다.

4 헷갈리기 쉬운 말 늘이다/늘리다

🖊 주어진 설명을 참고하여 문장에 어울리는 낱말을 찾아 ○표 하세요.

늘이다	길게 하다. 아래로 처지게 하다.
늘리다	세력이나 양 따위를 많게 하다. 팽창시키다.

1 고무줄의 양쪽 끝을 잡고 길게 (늘였다 / 늘렸다).

2 선발 인원을 두 배에서 세 배로 (늘였다 / 늘렸다).

이따가	조금 뒤에
있다가	존재하다가. 소지(소유)하다가

3 돈은 (이따가도 / 있다가도) 없는 법이다.

4 자세한 건 (이따가 / 있다가) 만나서 이야기하자.

닫치다	꼭꼭 또는 세게 닫다.
닫히다	'닫다'의 당하는 말. 닫아지다

5 집을 나오면서, 문을 힘껏 (닫쳤다 / 닫혔다).

6 문이 갑자기 (닫쳐서 / 닫혀서) 손을 다치고 말았다.

그슬리다	불에 겉만 약간 타다.
그을리다	햇볕이나 연기 따위를 오래 쬐어 검게 되다.

7 과학 시간에 실험을 하다가 머리카락을 살짝 (그슬렸다 / 그을렸다).

8 들판에는 까맣게 (그을린 / 그슬린) 농부들이 바쁘게 일을 하고 있다.

5 바꿔 쓸 수 있는 말 나열하다

밑줄 친 낱말의 기본형을 쓰고, 바꿔 쓸 수 있는 낱말을 [보기]에서 찾아 써 보세요.

보기

급박하다   나열하다   반색하다   수집하다   파다하다   회상하다

① 아버지의 취미는 우표를 <u>모으는</u> 것이다.

⇨ [   ] ≒ [   ]

② 경찰은 범인의 범죄 혐의를 쭉 <u>늘어놓았다</u>.

⇨ [   ] ≒ [   ]

③ 상황이 <u>위급할</u> 때는 주위 사람들에게 도움을 요청해라.

⇨ [   ] ≒ [   ]

④ 시인은 자신의 지난날을 <u>돌아보며</u> 앞으로의 각오를 다졌다.

⇨ [   ] ≒ [   ]

⑤ 할머니는 외손자가 놀러 왔다는 소식에 <u>반가워하며</u> 마중을 나갔다.

⇨ [   ] ≒ [   ]

⑥ 공장에서 남몰래 폐수를 흘려 보낸다는 등 이러저러한 소문이 <u>수두룩했다</u>.

매우 많고 흔했다.

⇨ [   ] ≒ [   ]

116

6 모양을 흉내 내는 말 반들반들

✎ 밑줄 친 부분의 글자 순서를 바르게 고쳐 써 보세요.

24일

○ 월
○ 일

1 고드름이 처마 밑에 <u>당간간당</u> 매달려 있다.
달려 있는 작은 물체가 자꾸
가볍게 흔들리는 모양

⇨ ☐

2 책상 위의 책들이 <u>박뒤죽죽</u> 흐트러져 있다.
여럿이 마구 뒤섞여 엉망이 된 모양

⇨ ☐

3 봄이 되니 괜스레 <u>숭숭싱생</u> 마음이 들뜬다.
마음이 안정되지 않고 들뜬 모양

⇨ ☐

4 두 사람은 만나기만 하면 <u>아다웅웅</u> 다투기 바쁘다.
대수롭지 아니한 일로 서로
자꾸 다투는 모양

⇨ ☐

5 인형 가게에 예쁜 인형들이 <u>망망졸올</u> 진열되어 있다.
작고 또렷한 것들이 고르지 않게
벌여 있는 모양

⇨ ☐

6 매일같이 청소를 해서인지 바닥이 <u>들반들반</u> 윤이 난다.
거죽이 아주 매끄럽고 윤이 나는 모양

⇨ ☐

7 범인은 조여 오는 수사망에 <u>팡팡질갈</u> 어쩔 줄을 몰랐다.
어쩔 줄을 모르고 이리저리 헤매는 모양

⇨ ☐

8 그는 고달픈 삶을 생각하며 먼 산만 <u>니두우커</u> 바라보았다.
넋이 나간 듯이 서 있거나
앉아 있는 모양

⇨ ☐

7 잘못 쓰기 쉬운 말 으레

✏️ 다음 문장에 알맞은 낱말을 찾아 ○표 하고, 바르게 써 보세요.

1 친구에게 화가 난 (까닥 / 까닭)을 물었다.
일이 생기게 된 원인이나 조건

➡️

2 책상에 (으레 / 으례) 있어야 할 책이 보이지 않는다.
틀림없이 언제나

➡️

3 우리 가족은 빚쟁이들의 (등살 / 등쌀)에 이사를 갔다.
몹시 귀찮게 구는 짓

➡️

4 내 친구는 푼돈에는 박하지만 (목돈 / 몫돈)에는 후하다.
한몫이 될 만한. 비교적 많은 돈

➡️

5 따뜻한 지역에서는 일 년 (내내 / 네내) 농사를 짓는다.
처음부터 끝까지 계속해서

➡️

6 우리는 (떼려야 / 뗄레야) 뗄 수 없는 그런 사이야.
떼려고 하여야

➡️

7 아버지는 (밭떼기 / 밭뙈기) 하나 없는 가난한 집에서 태어났다.
얼마 안 되는 자그마한 밭

➡️

8 그의 시골집은 (바깥채 / 바깥체)는 동향이고 안채는 남향이다.
한 집 안의 두 채 중 바깥에 있는 집

➡️

8 뜻이 여러 가지인 말 보내다

✏️ 밑줄 친 낱말에 알맞은 뜻을 찾아 그 기호를 써 보세요.

보내다	㉠ 사람을 일정한 곳에 소속되게 하다.
	㉡ 사람이나 물건을 다른 곳에 가게 하다.

❶ 어머니는 힘들게 번 돈으로 아들을 대학에 <u>보냈다</u>.   (   )

❷ 아버지는 방학을 맞아 우리 형제를 시골에 <u>보냈다</u>.   (   )

팔다	㉠ 자기의 이익을 위하여 배신하다.
	㉡ 값을 받고 남에게 물건이나 권리를 넘기다.
	㉢ 주의를 집중해야 할 곳에 두지 않고 다른 데로 돌리다.

❸ 수십 년간 살았던 집을 헐값에 <u>팔았다</u>.   (   )

❹ 나라를 <u>판</u> 매국노는 절대 용서할 수 없다.   (   )

❺ 우리 아이는 공부는 하지 않고 엉뚱한 곳에만 정신을 <u>판다</u>.   (   )

돌리다	㉠ 방향을 바꾸다.
	㉡ 어떤 물건을 나누어 주거나 배달하다.
	㉢ 다른 사람에게 책임이나 공로를 넘기다.

❻ 새로 이사를 와서 이웃집에 떡을 <u>돌리며</u> 인사를 했다.   (   )

❼ 그는 소리가 나는 쪽으로 몸을 <u>돌려</u> 그녀를 바라보았다.   (   )

❽ 자신의 책임을 다른 사람에게 <u>돌리는</u> 것은 옳지 못하다.   (   )

9 올바른 발음 품삯[품싹]

✏️ 밑줄 친 낱말의 알맞은 발음을 찾아 ○표 하세요.

① 지렁이도 <u>밟으면</u> 꿈틀한다. ⇨ [발브면] [밥으면]

② 수업이 끝나면 학교에 아무도 <u>없다</u>. ⇨ [업:따] [얻:따]

③ 자전거 페달을 <u>밟고</u> 힘차게 나아갔다. ⇨ [발:꼬] [밥:꼬]

④ 언니는 아름다운 꽃에 <u>넋이</u> 팔려 있다. ⇨ [넉씨] [넏씨]

⑤ 강아지는 내 얼굴을 <u>핥고</u> 꼬리를 흔들었다. ⇨ [할꼬] [핟꼬]

⑥ 일을 하고 나서 하루 <u>품삯과</u> 간식을 챙겼다. ⇨ [품싹꽈] [품싿꽈]

더 알아두기

겹받침 'ㄳ', 'ㄵ', 'ㄼ, ㄽ, ㄾ', 'ㅄ'은 낱말의 끝 또는 자음 앞에서 각각 [ㄱ, ㄴ, ㄹ, ㅂ]으로 발음해요. 다만, '밟-'은 자음 앞에서 [밥]으로 발음해요.

10 낱말 퀴즈

✏️ 밑줄 친 말을 하나의 낱말로 바꿔 써 보세요.

❶ 잠잠하던 바다에 갑자기 <u>바람과 물결</u>이 일었다. ⇨ | 파 | 랑 |

❷ 비록 몸은 떨어져 있어도 우리는 <u>같은 나라의</u> 민족이다. ⇨ | 도 | 포 |

❸ 우리는 선배의 <u>후하게 베푸는 마음</u>에 이끌려 동아리에 가입했다. ⇨ | 人 | 人 |

❹ 문을 세차게 두드려도 안에서는 <u>사람이 내는 소리나 기색</u>이 없었다. ⇨ | 기 | ㅊ |

❺ 나는 옷을 입을 때 옷의 <u>아름답고 보기 좋은 모양새</u>를 중요하게 생각한다. ⇨ | 매 | 人 |

❻ <u>신라의 옛이름</u>은 도읍의 명칭이면서 동시에 국호이기도 하였다. ⇨ | 人 | ㄹ | ㅂ |

121

타교과 어휘 사회

빈칸에 알맞은 낱말을 [보기]에서 찾아 써 보세요.

보기

생존권   입법권   자유권   저작권
참정권   청구권   평등권

1 학벌을 가지고 차별하는 것은 ☐ 에 어긋난다.

모든 면에서 차별 없이 대우를 받을 권리

2 국회는 법을 만들 수 있는 ☐ 을 가지고 있다.

법률을 만들 수 있는 권리

3 ☐ 을 가진 국민이라면 누구나 투표할 수 있다.

국민이 직·간접적으로 정치에 참여할 수 있는 권리

4 국가는 개인이 간섭을 받지 않고 행동할 수 있는 ☐ 을 보장한다.

국가 권력의 간섭 또는 침해를 받지 않을 권리

5 모든 국민은 법률에 의해 재판을 받을 권리인 재판 ☐ 을 가진다.

일정한 행위를 요구할 수 있는 권리

6 지역에 대형 마트가 들어서면서 지역 상인들의 ☐ 을 위협하고 있다.

살아 있을 권리

7 다른 사람이 만든 작품을 허락 없이 사용하는 것은 ☐ 을 침해하는 것이다.

창작자가 자기가 지은 것에 대해 가지는 권리

✏️ 다음 문장에서 설명하는 '의무'가 무엇인지를 박스에서 찾아 써 보세요.

납세   근로   교육

국방   양육

        환경 보전

1 만 6세가 된 아동은 학교에 보내 공부를 시켜야 한다. ⇨ [   ]의 의무

2 기업은 벌어들인 이윤의 일부분을 나라에 내야 한다. ⇨ [   ]의 의무

3 성인이 된 사람은 직장에 가서 부지런히 일을 해야 한다. ⇨ [   ]의 의무

4 생활하면서 나온 쓰레기는 반드시 분리수거를 해야 한다. ⇨ [   ]의 의무

5 부모는 자녀가 어른이 될 때까지 보살펴 기르고 키워야 한다. ⇨ [   ]의 의무

6 대한민국 국민인 남성은 나라를 지키기 위해 군대에 가야 한다. ⇨ [   ]의 의무

다음 빈칸에 글자를 넣어 낱말을 완성하세요.

¹ 이 ☐ 가 — 조금 뒤에

² 풍 ☐ — 바람과 물결

³ 반 ☐ 하다 — 매우 반가워하다.

⁴ ☐ 이롭다 — 놀랍고 신기한 데가 있다.

⁵ 밭 ☐ 기 — 얼마 안 되는 자그마한 밭

⁶ 늘 ☐ 다 — 세력이나 양 따위를 많게 하다.

⁷ ☐ 리다 — 다른 사람에게 책임이나 공로를 넘기다.

⁸ 대 ☐ 양 — 아메리카와 유럽 사이에 있는 넓은 바다

⁹ ☐ 부상 — 봇짐장수와 등짐장수를 통틀어 이르는 말

¹⁰ ☐ 옹다 ☐ — 대수롭지 아니한 일로 서로 자꾸 다투는 모양

정답 1. 따 2. 랑 3. 색 4. 경 5. 때 6. 리 7. 돌 8. 서 9. 보 10. 아, 다

124

¹¹으□

틀림없이 언제나

¹²그□리다

불에 겉만 약간 타다.

¹³□척

사람이 내는 소리나 기색

¹⁴□귀하다

보배롭고 보기 드물게 귀하다.

¹⁵□숭□숭

마음이 안정되지 않고 들뜬 모양

¹⁶□돈

한몫이 될 만한, 비교적 많은 돈

¹⁷□주

상인들의 물건을 맡아 팔던 일을 하던 집

¹⁸저□권

창작자가 자기가 지은 것에 대해 가지는 권리

¹⁹□정권

국민이 직·간접적으로 정치에 참여할 수 있는 권리

²⁰교□로

상인이 물건을 사고팔고 바꾸기 위해 지나다니는 길

정답　**11.** 레　**12.** 슬　**13.** 기　**14.** 진　**15.** 싱, 생　**16.** 목　**17.** 객　**18.** 작　**19.** 참　**20.** 역

MEMO

MEMO

미래를 생각하는
(주)이룸이앤비

이룸이앤비는 항상 꿈을 갖고 무한한 가능성에 도전하는 수험생 여러분과 함께 할 것을 약속드립니다.
수험생 여러분의 미래를 생각하는 이룸이앤비는 항상 새롭고 특별합니다.

내신·수능 1등급으로 가는 길
이룸이앤비가 함께합니다.

| 이룸이앤비 | 🔍 |

인터넷 서비스

라이트**수학**

- 이룸이앤비의 모든 교재에 대한 자세한 정보
- 각 교재에 필요한 듣기 MP3 파일
- 교재 관련 내용 문의 및 오류에 대한 수정 파일

숨마쿰라우데®

굿비
좋은 시작, 좋은 기초

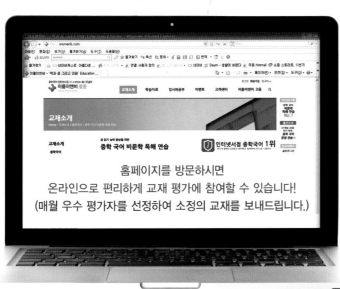

홈페이지를 방문하시면
온라인으로 편리하게 교재 평가에 참여할 수 있습니다!
(매월 우수 평가자를 선정하여 소정의 교재를 보내드립니다.)

글 읽기 능력이 향상되면
모든 공부의 **자신감**도 **향상**됩니다.

다양한 글들을
쉽고 재미있게
공부하다 보면
독해왕이 됩니다!!!

숨마어린이
초등국어 **독해왕** 시리즈
1단계 / 2단계 / 3단계 / 4단계 / 5단계 / 6단계 (전 6권)

숨마 어린이®

어휘력 향상을 위한
초등국어 어휘왕

6-2

정답 및 해설

초등국어 어휘력 향상을 위한

어휘 왕

6-2

이룸이앤비
Education & Books

1 주제별 어휘 1 독립운동

주어진 뜻을 보고 빈칸에 알맞은 낱말을 써 보세요.

안중근은 일본의 침략으로 나라가 어렵게 되자 ❶ 운동으로 나라의 힘을 키우고자 애썼다. 그러나 곧 국내 활동만으로는 나라를 지킬 수 없다고 생각하고 ❷ 을 선택하였다. 북간도를 거쳐 연해주에 도착하여 ❸ 을 조직하고 국내외 여러 독립군과 협력하여 일본군에 맞서 싸웠다.

안중근은 우리나라를 빼앗는 데 앞장선 이토 히로부미를 ❹ 하기로 결심하였다. 이토 히로부미가 만주를 방문한다는 소식을 접하고 하얼빈 역에서 그를 ❺ 하였다.

- 북간도: 중국 동북부의 두만강과 북쪽 일대
- 연해주: 러시아의 동남쪽 끝에 있는 지방

도움말 ▲ 일제 강점기의 애국 계몽 운동은 학교 설립, 신문 발행 등을 통해 민족정신을 북돋아 독립을 이루고자 한 운동을 말해요.

❶ 사람들을 깨우쳐서 바른 지식을 가지게 하는 것 ⇨ 계 몽

❷ 정치적 이유로 위협을 느껴 다른 나라로 피함. ⇨ 망 명

❸ 외적의 침입에 맞서 백성들이 조직한 군대 ⇨ 의 병

❹ 사람을 몰래 죽이는 것 ⇨ 암 살

❺ 몰래 숨어서 무엇을 겨냥해 총을 쏘는 것 ⇨ 저 격

10

2 주제별 어휘 2 학문

옛 선비들은 학문을 닦는 일을 게을리하지 않았어요. 글을 읽고 쓰고, 그림을 그리는 일에 매진하여 정통하는 것을 가장 명예로운 일로 여겼지요.

빈칸에 알맞은 낱말을 [보기]에서 찾아 써 보세요.

보기

| 견문 | 서재 | 연적 | 탁본 | 후학 | 문하생 | 추사체 |

❶ 다양한 종류의 책들을 읽으면 견문 을 넓힐 수 있다.
보거나 듣거나 하여 깨달아 얻은 지식

❷ 우리는 비석에 새겨진 글씨의 탁본 을 뜨기로 하였다.
도움말 ▲ 탁본은 비석 등에 종이를 비석 등에 새겨진 글씨나 무늬를 종이에 본뜸. 대고 연한 먹 등으로 문지르거나 두드려 본을 뜨는 방식이에요.

❸ 아버지는 글을 쓰시느라 한동안 서재 에서 나오지 않으셨다.
책을 모아 두고, 책을 읽거나 글을 쓰고 공부하는 방

❹ 그의 명성을 들은 화가 지망생들이 문하생 이 되고자 찾아왔다.
학문이 높은 스승에게서 가르침을 받는 제자

❺ 붓글씨를 쓸 때 사용한 연적 은 옥으로 만든 귀한 것이라고 한다.
벼루에 먹을 갈 때 쓰는, 물을 담아 두는 그릇

❻ 선생님의 글씨는 추사체 에 가까워 획이 예리하고 힘찬 것이 특징이다.
조선 후기의 명필인 추사 김정희의 글씨체
도움말 ▲ 김정희는 조선 후기의 문신으로 유명해요.

❼ 올해 은퇴하는 김 교수는 앞으로 후학 을 기르는 데 온 힘을 쏟을 예정이다.
학문에서의 후배

11

3 자주 쓰는 말 걸음을 떼다

빈칸에 알맞은 말을 [보기]에서 찾아 써 보세요.

보기

| 걸음을 떼다 | 눈이 뜨이다 | 혀를 내두르다 | 고개를 갸웃하다 |
| 가슴이 미어지다 | 간이 오그라들다 | 어깨를 으쓱거리다 | |

❶ 선생님의 칭찬에 어깨를 으쓱거리다 .
뽐내고 싶은 기분이나 자랑스러운 기분이 되다.

❷ 새롭게 발명한 상품으로 사업에 걸음을 떼다 .
준비해 오던 일을 처음으로 하기 시작하다.

❸ 그림 공부를 열심히 한 끝에 미술에 눈이 뜨이다 .
어떤 분야에 능통하게 되다.

❹ 고생만 하다가 돌아가신 어머니 생각에 가슴이 미어지다 .
슬픔이나 고통으로 가득 차 견디기 힘들게 되다.

❺ 산속에서 울려 퍼지는 짐승의 울음소리에 간이 오그라들다 .
도움말 ▲ 놀람이나 대담함을 표현하는 몹시 두려워지거나 무서워지다. 관용어에는 '간'과 관련된 표현이 많아요.

❻ 평소와는 다른 친구들의 수상한 행동이 궁금하여 고개를 갸웃하다 .
무엇에 의문을 가지다.

❼ 어린 나이에 무거운 물건을 번쩍 들어 올리는 것을 보고 혀를 내두르다 .
몹시 놀라거나 어이없어 말을 못하다.

12

4 복수 표준어 메우다/메꾸다

도움말 ▲ 국립국어원은 정기적으로 일상생활에서 두루 쓰이는 말을 찾아 표준어로 지정하고 있어

밑줄 친 부분에서 표준어 두 개를 찾아 써 보세요.

❶ 나무줄기에 넝쿨/덩굴/덩쿨이 감겨 있다. ⇨ 넝쿨 = 덩굴

❷ 할아버지의 머리카락이 성기다/성길다/성글다.
사이가 촘촘하지 않고 넓다.
⇨ 성기다 = 성글다

❸ 모쪼록/아모쪼록/아무쪼록 좋은 결과가 있기를 기대합니다.
될 수 있는 대로
⇨ 모쪼록 = 아무쪼록

❹ 어제/어저께/어제께 먹다가 남은 음식을 냉장고에서 꺼내 먹었다.
오늘의 바로 하루 전에
⇨ 어제 = 어저께

❺ 여태껏/여때껏/입때껏 아무도 나의 잘못을 지적하는 사람이 없었다.
지금까지
⇨ 여태껏 = 입때껏

❻ 여인은 남편이 가는 모습을 멀찌기/멀찌가니/멀찌감치 떨어져 지켜보았다.
사이가 꽤 멀어지게
⇨ 멀찌가니 = 멀찌감치

❼ 그의 답변은 애매하고 두리뭉실하다/두리뭉술하다/두루뭉술하다.
확실하거나 분명하지 않다.
⇨ 두리뭉실하다 = 두루뭉술하다

13

5 잘못 쓰기 쉬운 말 1 구정물

✏️ 다음 문장에 알맞은 낱말을 찾아 ○표 하고, 바르게 써 보세요.

① 장마가 되자 (며칠 / 몇일) 동안 계속해서 비가 내렸다.
　　　　　　　　 몇 날
　➡️ 며칠

② 청소를 한 걸레를 빨자 (구정물 / 꾸정물)이 흘러내렸다.
　　　　　무엇을 씻거나 빨거나 하여 더러워진 물
　➡️ 구정물

③ 민수는 (먼지털이 / 먼지떨이)로 창가의 먼지를 털어 냈다.
　　　　　　　　먼지를 떠는 기구
　➡️ 먼지떨이

④ 영희는 쑥스러우면 혀를 (날름 / 낼름) 내미는 버릇이 있다.
　　　　　　혀, 손 따위를 날쎄게 내밀었다 들이는 모양
　➡️ 날름

⑤ 사업 실패로 가족의 (살림살이 / 살림사리)가 어려워졌다.
　　　　　　살림을 차려서 사는 일
　➡️ 살림살이

⑥ 반장은 선생님의 말씀을 (허투로 / 허투루) 듣는 법이 없다.
　　　　　　아무렇게나 되는대로
　➡️ 허투루

⑦ 사탕을 주자 심술 난 동생의 얼굴이 (금새 / 금세) 밝아졌다.
　　　　　　　　　지금 바로, 금시에
　➡️ 금세
[도움말 ▲] '금세'는 '금시에'가 줄어든 말이므로, '금새'로 잘못 쓰지 않도록 해요.

⑧ 그는 강가에 서서 (물끄러미 / 물끄럼이) 강물을 바라보았다.
　　　　　우두커니 한곳만 바라보는 모양
　➡️ 물끄러미

14

6 잘못 쓰기 쉬운 말 2 헤집다

✏️ 올바른 낱말을 골라 빈칸에 활용하여 써 보세요.

① 해집다　　해집다
　➡️ 닭들이 모이를 찾느라 거름 더미를 　헤집고　 다녔다.
　　　　　　　　　　　무엇을 찾으려고 쌓인 물건들을 해치고

② 무릅쓰다　　무릎쓰다
　➡️ 엄마는 아이를 구하려고 위험을 　무릅쓰고　 물속으로 뛰어들었다.
　　　　　　　　　　힘들고 어려운 일을 견디고

③ 자잘하다　　짜잘하다
　➡️ 식구가 많은 집에는 　자잘한　 사고들이 많다.
　　　　　　　일, 행동 따위가 작고 중요하지 않은

④ 달삭이다　　달싹이다
　➡️ 이야기가 재미없는지 아이는 엉덩이를 　달싹였다 .
[도움말] '달삭이다'가 가벼운 것의 움직임을 　조금씩 들었다가 놓았다가 했다.
표현한다면, '들싹이다'는 무거운 것의 움직임을 표현하는 말이에요.

⑤ 귀막히다　　기막히다
　➡️ 전철에서 지갑을 잃어버리는 　기막힌　 일을 당했다.
　　　　　　　어떠한 일이 놀랍거나 언짢아서 어이없는

⑥ 어우러지다　　어울어지다
　➡️ 사물놀이는 꽹과리, 징, 장구, 북이 　어우러져　 흥을 돋운다.
　　　　　　여럿이 한 덩어리나 한판을 크게 이루어

⑦ 거무티티하다　　거무튀튀하다
　➡️ 군대에 간 아들의 얼굴이 햇빛에 그을려 　거무튀튀하게　 변했다.
　　　　　　　　탁하고 거무스름하게

15

7 상태를 나타내는 말 아리다

✏️ 빈칸에 알맞은 낱말을 [보기]에서 찾아 써 보세요.

보기

| 아리다 | 고단하다 | 야속하다 | 심드렁하다 | 아리송하다 |

①  매운 고추를 먹었더니 혀가 　아리다 .
　　　　　　　혀끝을 찌를 듯이 알알한 느낌이 있다.

②  나를 두고 가 버리다니 참 　야속하다 .
　　　　　　　언짢고 섭섭하다.

③  범인의 정체가 무엇인지 　아리송하다 .
　　　　　　　그런 듯 아닌 듯 분간하기 어렵다.

④  늦게까지 공부를 했더니 무척 　고단하다 .
　　　　　　　피곤하여 기운이 없다.

⑤  놀러 가자는 내 말에 친구의 반응이 　심드렁하다 .
　　　　　　　마음에 탐탁지 않고 관심이 거의 없다.

16

8 한자어 량(量)

'량(量)'은 '헤아리다'의 뜻을 가진 한자예요. 낱말의 뒤에 붙어 수량, 분량 등의 의미를 나타내요.

✏️ 주어진 뜻에 알맞은 낱말을 써 보세요.

① 책을 읽는 양
　➡️ 독 서 량

② 농작물을 거두어들인 양
　➡️ 수 확 량

③ 어떤 일에 익숙해지도록 훈련한 양
　➡️ 연 습 량
[도움말 ▲] '훈련량'도 될 수 있지만, 주어진 초성을 고려했을 때 '연습량'만 정답으로 볼 수 있어요.

④ 일정 기간에 상품 따위를 파는 양
　➡️ 판 매 량

⑤ 지하자원 따위가 땅속에 묻혀 있는 분량
　➡️ 매 장 량
[도움말 ▲] 지하자원 따위가 땅속에 묻혀 있는 것을 '매장'이라고 해요.

⑥ 어떠한 물건이 일정 기간에 생산되는 분량
　➡️ 생 산 량

⑦ 비, 눈 등으로 일정 기간 동안 일정 곳에 내린 물의 총량
　➡️ 강 수 량
[도움말 ▲] 눈이 내린 양을 가리킬 때는 '강수량' 외에 '적설량'이라고도 해요.

⑧ 일정한 곳을 일정한 시간에 오고가는 사람이나 차량의 수량
　➡️ 교 통 량

17

9 바꿔 쓸 수 있는 말 고적하다

✏️ 빈칸에 가장 어울리는 낱말 쌍을 [보기]에서 찾아 형태에 맞게 써 보세요.

보기

고적하다 – 적막하다   기절하다 – 혼절하다   답답하다 – 갑갑하다
의젓하다 – 늠름하다   희미하다 – 아련하다

도움말 ▲ [보기]의 짝지어진 낱말 쌍은 서로 뜻이 비슷한 낱말이에요.

❶
┌ 아무도 없는 휑한 집 안은 | 고 | 적 | 하 | 다 |.
└ 온통 눈으로 뒤덮인 마을은 | 적 | 막 | 하 | 다 |.
고요하고 쓸쓸하다.

❷
┌ 아이는 어린 나이에도 불구하고 | 의 | 젓 | 하 | 다 |.
└ 나라를 지키는 군인들의 모습이 | 늠 | 름 | 하 | 다 |.
생김새나 태도가 무게가 있고 당당하다.

❸
┌ 그와 도통 말이 통하지 않으니 | 답 | 답 | 하 | 다 |.
└ 하루 종일 좁은 방에만 있으려니 | 갑 | 갑 | 하 | 다 |.
꽉 막힌 느낌이 있다.

❹
┌ 멀리서 기적 소리가 | 희 | 미 | 하 | 게 | 들렸다.
└ 멀리서 나를 부르는 소리가 | 아 | 련 | 하 | 게 | 들려왔다.
똑똑히 분간하기 힘들고 아렴풋하게

❺
┌ 그녀는 남편의 사고 소식을 듣고서 | 기 | 절 | 했 | 다 |.
└ 장례식에서 어머니는 죽은 아들의 이름을 부르며 | 혼 | 절 | 했 | 다 |.
정신이 아찔하여 까무러쳤다.

18

10 모양을 흉내 내는 말 나붓나붓

✏️ 빈칸에 알맞은 낱말을 주어진 글자 카드로 만들어 써 보세요.

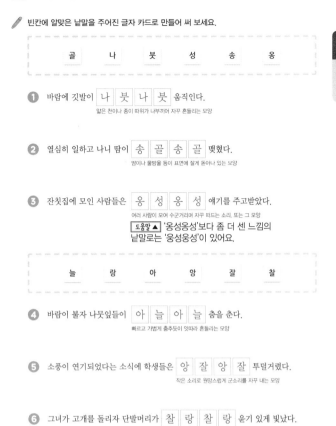

| 골 | 나 | 붓 | 성 | 송 | 옹 |

❶ 바람에 깃발이 | 나 | 붓 | 나 | 붓 | 움직인다.
얇은 천이나 종이 따위가 나부끼어 자꾸 흔들리는 모양

❷ 열심히 일하고 나니 땀이 | 송 | 골 | 송 | 골 | 맺혔다.
땀이나 물방울 등이 표면에 잘게 돋아나 있는 모양

❸ 잔칫집에 모인 사람들은 | 옹 | 성 | 옹 | 성 | 얘기를 주고받았다.
여러 사람이 모여 수군거리며 자꾸 떠드는 소리. 또는 그 모양

도움말 ▲ '옹성옹성'보다 좀 더 센 느낌의
낱말로는 '웅성웅성'이 있어요.

| 늘 | 랑 | 아 | 앙 | 잘 | 찰 |

❹ 바람이 불자 나뭇잎들이 | 아 | 늘 | 아 | 늘 | 춤을 춘다.
빠르고 가볍게 춤추듯이 잇따라 흔들리는 모양

❺ 소풍이 연기되었다는 소식에 학생들은 | 앙 | 잘 | 앙 | 잘 | 투덜거렸다.
작은 소리로 원망스럽게 군소리를 자꾸 내는 모양

❻ 그녀가 고개를 돌리자 단발머리가 | 찰 | 랑 | 찰 | 랑 | 윤기 있게 빛났다.
물결치는 것처럼 가볍게 흔들리는 모양

19

11 꾸며 주는 말 수없이

✏️ 빈칸에 [보기]의 말을 더해 꾸며 주는 말을 완성해 보세요.

보기

한   수   다름   뜬금   거침   틀림   하릴

❶ | 수 | 없 | 이 | 많은 별들이 밤하늘을 수놓고 있다.
헤아릴 수 없을 만큼 그 수가 많이

도움말 ▲ '없이'는 앞말과 띄어 써야 하지만, 앞말에 붙어
하나의 낱말을 이룬 경우는 붙여 써요.

❷ 아이는 선생님의 물음에 | 거 | 침 | 없 | 이 | 대답했다.
일이나 행동 따위가 중간에 걸리거나 막힘이 없이

❸ 그가 결혼식에 | 뜬 | 금 | 없 | 이 | 나타나 훼방을 놓았다.
갑작스럽고도 엉뚱하게

❹ 미세 먼지가 심해 | 하 | 릴 | 없 | 이 | 집에만 박혀 있었다.
달리 어떻게 할 도리가 없이

도움말 ▲ '하릴없이'는 '할 일 없이'와는 전혀 다른 말이므로,
'할일없이'로 쓰지 않도록 주의해야 해요.

❺ | 한 | 없 | 이 | 넓은 바다에는 무수히 많은 생물들이 살고 있다.
끝이 없이

❻ 이번에는 우리 반 학생들이 | 틀 | 림 | 없 | 이 | 이길 것이다.
조금도 어긋나는 일이 없이

❼ 청소부 아저씨는 평소와 | 다 | 름 | 없 | 이 | 아침 일찍 동네를 쓸고 계셨다.
견주어 보아 같거나 비슷하게

20

12 띄어쓰기 은(는)커녕

'은(는)커녕'은 앞말을 지정하여 어떤 사실을 부정하는 뜻을 강조하는 말이에요. 홀로 쓰일
수 없고 다른 말을 도와주는 역할을 하므로 앞말과 붙여 써야 해요.

눈은커녕 비도 오지 않는다.

✏️ 다음 문장을 주어진 횟수에 따라 바르게 띄어 써 보세요.

❶ 네얘기는감동은커녕재미도없다. (4회)

| 네 | | 얘 | 기 | 는 | | 감 | 동 | 은 | 커 | 녕 | | 재 |
| 미 | 도 | | 없 | 다 | . |

❷ 오늘은밥은커녕죽도먹지못했다. (4회)

| 오 | 늘 | 은 | | 밥 | 은 | 커 | 녕 | | 죽 | 도 | | 먹 |
| 지 | | 못 | 했 | 다 | . |

도움말 ▲ '–지 못하다'에서 '못하다'는 한 낱말이므로 붙여 써야 해요. 그 밖에
'못 잡다, 못 먹다, 못 보다, …' 등의 '못'은 뒤에 오는 낱말과 띄어 써야 해요.

❸ 포수는멧돼지는커녕토끼도못잡았다. (4회)

| 포 | 수 | 는 | | 멧 | 돼 | 지 | 는 | 커 | 녕 | | 토 | 끼 |
| 도 | | 못 | | 잡 | 았 | 다 | . |

21

13 낱말 퀴즈

빈칸에 알맞은 낱말을 써서 문장을 완성해 보세요.

① 한석봉은 조선 제일의 명필 이다.
글씨 잘 쓰기로 이름난 사람

② 꽃이 피고 지는 것은 자연의 섭리 이다.
자연계를 지배하고 있는 원리와 법칙

③ 친구는 물건을 고르는 안목 이 뛰어나다.
사물을 보고 분별하는 능력

④ 순간 어머니를 떠올린 그는 눈시울 이 붉어졌다.
눈 주변의 속눈썹이 난 곳

도움말 ▲ 눈시울이 뜨거워지거나, 붉어진다는 것은
눈에 눈물이 어린다는 의미예요.

⑤ 훌륭한 사람은 세속적 가치보다 정신적 가치를 추구한다.
세상의 일반적인 풍속을 따르는. 또는 그런 것

⑥ 무슨 일이든 높은 경지 에 이르려면 연습과 훈련이 필요하다.
몸이나 마음, 기술 등이 어떤 단계에 도달해 있는 상태

⑦ 나라가 망했다는 소식이 전해지자 사람들의 입에서 탄식 이 흘러나왔다.
한탄하여 한숨을 쉼. 또는 그 한숨

22

14 십자말풀이

가로 열쇠
1. 공공 또는 사회사업의 자금을 모으기 위하여 벌이는 시장
2. 그림을 모아 엮은 책
3. 한옥에서 남자 주인이 쓰면서 손님도 맞아들이는 집채
4. 여러 겹으로 겹쳐 있는 모양
5. 유럽, 아시아, 아프리카 세 대륙에 둘러싸인 바다
6. 안경이나 망원경, 현미경 따위를 이용하지 아니하고 직접 보는 눈
7. 드러나지 않게 살며시
8. 수준이나 솜씨가 어느 정도에 이르렀음을 나타내는 말

세로 열쇠
1. 빨랫줄을 받치는 긴 막대기
2. 미술의 한 분야로서의 그림
3. 여러 산이 겹치고 겹친 산속
4. 모자람이 없이 온전하게
5. 두 눈썹 사이에 잡히는 주름
6. 슬며시 힘을 주는 모양
7. 병적으로 높아진 체온을 정상으로 내리게 하는 약

23

15 (타교과 어휘) 사회

빈칸에 알맞은 낱말을 주어진 글자 카드로 만들어 써 보세요.

경 국 능 선 오 위 자

① 우리 일행은 능선 을 따라 산행을 계속했다.
산등성이를 따라 죽 이어진 선

② 지표의 위치를 나타내는 위선 은 적도와 평행하다.
적도에 평행하게 지구의 표면을 남북으로 자른 가상의 선

③ 경찰에 쫓기던 범인들이 국경선 을 넘어 도주했다.
나라와 나라 사이의 경계선

도움말 ▲ '자오선'은 북극에서 관측자의 천정을 지나 남극을 연결하는 큰 원이에요.

④ 태양이 남중했다는 것은 태양이 자오선 위에 있을 때를 말한다.
남극과 북극을 이으면서 적도와 수직으로 만나는 선

구 남 반 본 북 지

⑤ 전 세계 육지의 70% 이상이 북반구 에 위치하고 있다.
적도를 경계로 지구를 둘로 나누었을 때의 북쪽 부분

⑥ 오스트레일리아는 지구의 남반구 에 위치한 나라이다.
적도를 경계로 지구를 둘로 나누었을 때의 남쪽 부분

⑦ 지구본 은 둥근 지구의 형태에 지도를 덧입혀 놓은 것이다.
지구를 본떠 만든 모형

24

밑줄 친 말과 바꿔 쓸 수 있는 낱말을 써 보세요.

① 종이컵의 주원료는 나무에서 뽑아낸 섬유이다. ⇨ 펄프

② 이곳의 지역에 나타나는 평균적인 날씨는 덥고 습하다. ⇨ 기후

③ 끝없이 펼쳐진 풀이 나 있는 들판에 양들이 노닐고 있다. ⇨ 초원

④ 나무가 많이 우거진 숲이 파괴되면 공기의 질도 나빠진다. ⇨ 삼림

⑤ 개마고원은 해수면을 기준으로 잰 높이 1000m가 넘는 지대이다. ⇨ 해발
도움말 ▲ '해발'은 육지의 산 등의 높이를 나타내는 수치 앞에 써요.

⑥ 마을의 북쪽에 산봉우리가 길게 연속되어 있는 지형이 버티고 있다. ⇨ 산맥

⑦ 잎이 바늘같이 가늘고 뾰족한 나무는 추위에 잘 견딘다. ⇨ 침엽수
도움말 ▲ 넓은 잎을 가진 나무는 '활엽수'라고 해요.

⑧ 일본은 막무가내로 독도의 토지를 차지해 가질 권한을 주장하고 있다. ⇨ 영유권

25

2장 관용 표현을 활용해요

국어 교과서 84~111쪽

1 관용어와 속담

관용 표현에는 관용어와 속담 등이 있어요. 관용어는 하나의 어휘처럼 기능하며, 속담은 지혜와 교훈을 담고 있다는 점에서 차이가 있어요.

✎ 다음 관용 표현을 관용어와 속담으로 나누어 써 보세요.

산 입에 거미줄 치랴.	식은 죽 먹기
남의 말 하기는 식은 죽 먹기	믿는 도끼에 발등 찍힌다.
입에 거미줄 치다.	꼬리가 길면 밟힌다.
꼬리가 길다.	발등을 찍히다.

도움말▲ 지혜와 교훈을 담고 있는지를 생각하며 속담과 관용어를 구분하면 돼요.

관용어
- 꼬리가 길다.
  못된 짓을 오래 두고 계속하다.
- 발등을 찍히다.
  남에게 배신을 당하다.
- 식은 죽 먹기
  쉽게 할 수 있다.
- 입에 거미줄 치다.
  가난하여 먹지 못하고 오랫동안 굶다.

속담
- 꼬리가 길면 밟힌다.
  나쁜 일도 계속하면 결국에 들키고 만다.
- 믿는 도끼에 발등 찍힌다.
  믿는 사람이 배반하여 오히려 해를 입는다.
- 남의 말 하기는 식은 죽 먹기
  남의 잘못을 고집어내어 말하기 매우 쉽다.
- 산 입에 거미줄 치랴.
  살림이 어려워도 그럭저럭 먹고 살아가게 된다.

28

2 한자어 운(運), 독(獨), 설(說)

✎ 밑줄 친 낱말들 중 주어진 한자가 쓰이지 않은 것을 찾아 ✔표 하세요.

① 運 옮길 운
- ☐ 지나친 운동은 건강에 해롭다.
  건강을 위해 몸을 움직이는 활동
- ☐ 이 열차는 당분간 운행하지 않는다.
  차 등이 정해진 길로 다님.
- ✔ 마을 운동장에 많은 주민들이 운집했다.
  많은 사람들이 모여 듦.
- ☐ 운전을 할 때에는 사방을 주시해야 한다.
  차나 기계를 움직이고 조정하는 것

도움말▲ '운집'은 구름처럼 많이 모인다는 뜻으로 한자 '구름 운(雲)'이 쓰여요.

② 獨 홀로 독
- ✔ 너 같은 독종은 세상에 없다.
  성질이 매우 독하고 냉정한 사람
- ☐ 할머니는 독학으로 공부하여 대학에 입학했다.
  학교에 다니지 않고 혼자 공부하는 것
- ☐ 그는 학문에 집중하느라 평생 독신으로 지냈다.
  배우자 없이 혼자 사는 것
- ☐ 왕의 독재에 맞서 백성들이 벌떼같이 들고 일어났다.
  개인이 정치권력을 마음대로 행사하는 것

도움말▲ '독종'은 한자 '독할 독(毒)'이 쓰여요.

③ 說 말씀 설
- ☐ 그가 제시한 가설은 십 년 만에 증명되었다.
  증명하기에 앞서 임시로 세운 이론
- ☐ 사람들은 그녀의 연설을 듣고 감명을 받았다.
  많은 사람들 앞에서 긴 말로 발표하는 것
- ☐ 이 책의 뒷부분에는 문제에 대한 해설이 실려 있다.
  뜻이나 의미를 쉽게 설명하는 것
- ✔ 행동을 조심하지 않으면 다른 사람의 구설에 오르게 된다.
  시비하거나 헐뜯는 말

도움말▲ '구설'은 한자 '입 구(口)'가 쓰여요.

29

3 신체와 관련된 관용어

✎ 빈칸에 알맞은 말을 [보기]에서 찾아 활용하여 써 보세요.

[보기]
간이 크다   간이 타다   간이 떨어질 뻔하다   간이 콩알만 해지다
도움말▲ '간'과 관련된 관용 표현에는 사람의 심리 변화, 성향 등을 나타내는 것들이 많아요.

① 갑작스런 폭발음에 __간이 떨어질 뻔했다__.
　매우 놀랐다.

② 덜컥 이 비싼 물건을 구입하다니 __간이 크다__.
　겁이 없고 매우 대담하다.

③ 아버지의 호된 꾸지람에 __간이 콩알만 해졌다__.
　몹시 두려워지거나 무서워졌다.

④ 어제 출발한 일행이 도착하지 않아서 모두들 __간이 타는__ 얼굴이었다.
　너무 근심스럽고 안타까워하는

[보기]
눈에 차다   눈에 밟히다   눈에 불을 켜다   눈에 흙이 들어가다

⑤ 그는 돈이 생기는 일이라면 __눈에 불을 켠다__.
　몹시 욕심을 내거나 관심을 기울이다.

⑥ 김 씨는 고향에 두고 온 가족이 __눈에 밟혔다__.
　잊혀지지 않고 자꾸 눈에 떠올랐다.

⑦ __눈에 차는__ 물건이 없으니 다른 곳으로 가 보자.
　흡족하게 마음에 드는

⑧ 내 __눈에 흙이 들어가기__ 전에는 두 사람의 결혼을 허락할 수 없다.
　죽어서 땅에 묻히기

도움말▲ '눈에 흙이 들어가다'는 사람이 죽어서 땅에 묻히는 상황을 표현한 것이에요.

30

[보기]
어깨를 펴다   어깨를 견주다   어깨를 낮추다   어깨를 짓누르다

⑨ 이 분야에서 나와 __어깨를 견줄__ 만한 인물은 찾기 어렵다.
　서로 비슷한 지위나 힘을 가질

⑩ 우리 부장님은 아랫사람에게 __어깨를 낮출__ 줄 아는 사람이다.
　겸손하게 자기를 낮출

⑪ 점원은 무리한 고객의 요구에 __어깨를 펴고__ 당당하게 맞섰다.
　생각이나 뜻을 굽히지 않고

⑫ 사업에 실패하자, 가족을 책임져야 한다는 부담이 그의 __어깨를 짓눌렀다__.
　의무나 책임이 중압감을 주었다.

도움말▲ '누르다'는 '누르고, 눌러, …'와 같이 불규칙적으로 활용해요.

[보기]
발이 넓다   발이 익다   발이 뜸하다   발이 저리다

⑬ 내 실수로 사고가 발생한 것 같아서 왠지 __발이 저리다__.
　지은 죄가 있어 마음이 편안하지 않다.

도움말▲ 관련된 속담으로 '도둑이 제 발 저리다.'라는 표현이 있어요.

⑭ 좋지 않은 소문 때문에 매장을 찾는 손님들의 __발이 뜸하다__.
　자주 다니던 것이 한동안 뜸하다.

⑮ 김 과장은 업계 사람들을 대부분 알고 있을 정도로 __발이 넓다__.
　사귀어 아는 사람이 많다.

⑯ 우리는 학교 가는 길에 __발이 익어서__ 눈을 감고도 갈 수가 있다.
　여러 번 다녀서 길에 익숙하여

31

4 생활과 관련된 관용어

✎ 빈칸에 들어갈 낱말 쌍을 [보기]에서 찾아 써 보세요.

> **보기**
>
> 하루-번   입-게거품   눈-천불   입-침
> 두말-잔소리   물-제비   그림-떡

1 동생은 (하루)에도 열두 (번) 거짓말을 한다.
　　　　　　　　　　　매우 자주

2 영화가 정말 재밌냐고? (두말)하면 (잔소리)이다.
　　　　　　　　　　　이미 말한 내용이 틀림없으므로 더 말할 필요가 없다.

3 배탈이 난 네게 이 잔치 음식은 (그림)의 (떡)이구나.
　　　　　　　　　　　마음에 들어도 이용할 수 없거나 차지할 수 없는 경우

4 두 사람이 흥분해서 (입)에 (게거품)을 물고 싸우고 있다.
　　　　　　　　　　　몹시 흥분하여 떠들어 대며

5 그가 내 흉을 보고 다닌다는 말을 들으니 (눈)에 (천불)이 난다.
　　　　　　　　　　　몹시 거슬리거나 화가 난다.
　　> **도움말 ▲** '천불'은 '천 곳에서 일어난 불길'이라는 뜻으로, 큰 불길을 말해요.

6 동훈이는 축구 경기에서 (물) 찬 (제비)같이 수비수를 제치고 공을 몰았다.
　　　　　　　　동작이 민첩하고 깔끔하여 보기 좋은 행동을 하는 경우

7 이 시간에는 (입)에 (침) 바른 소리 할 것 없이 하고 싶었던 말을 해 보자.
　　　　　　　　겉만 번지르르하게 꾸미어 듣기 좋게 함.

32

5 관용어 퀴즈

✎ 밑줄 친 말을 문장에 어울리도록 바르게 고쳐 써 보세요.

1 너는 오지랖이 커서 간섭이 심하다.　⇨　오지랖이 넓어서
　　> **도움말 ▼** '오지랖'은 웃옷의 앞자락을 뜻해요. '오지랖이 넓다'는 웃옷의 앞자락이 넓어 안에 입은 다른 옷을 감싸 버린다는 데에서 비롯된 말이에요.
　　　　　　　　　　　지나치게 참견하는 면이 있어서

2 그는 아무것도 모르는 척 시치미를 붙였다.　⇨　시치미를 뗐다
　　　　　　　　　　　하고도 아니한 체, 알고도 모르는 체했다.

3 네가 일찍 일어나다니, 동쪽에서 해가 뜨겠다.　⇨　서쪽에서 해가 뜨겠다
　　　　　　　　　　　전혀 있을 수 없는 일이다.
　　> **도움말 ▲** 해가 서쪽에서 뜨는 일은 없다는 데에서 비롯된 말이에요.

4 선생님은 거짓을 용납하지 않겠다고 못을 쳤다.　⇨　못을 박았다
　　　　　　　　　　　꼭 집어 분명하게 했다.

5 무턱대고 물건을 사는 바람에 바가지를 당했다.　⇨　바가지를 썼다
　　　　　　　　　　　값을 비싸게 지불하여 손해를 보았다.

6 나는 발바닥 뒤집듯 변덕 심한 사람을 싫어한다.　⇨　손바닥 뒤집듯
　　　　　　　　　　　태도를 갑자기 바꾸기를 아주 쉽게

7 세상은 물안경을 쓰고 보면 좋은 것도 나쁘게 보인다.　⇨　색안경을 쓰고
　　　　　　　　　　　좋지 않은 감정이나 선입견을 가지고

33

6 사자성어와 비슷한 뜻의 속담

✎ 주어진 사자성어와 비슷한 뜻의 속담을 골라 써 보세요.

> 달면 삼키고 쓰면 뱉는다.　　　외손뼉이 소리 날까.
>
> 도랑 치고 가재 잡는다.　　　고생 끝에 낙이 온다.
>
> 방귀 뀐 놈이 성낸다.

> **도움말 ▼** 주어진 뜻을 생각하며, 비슷한 의미의 속담을 골라 보세요.

1 일석이조(一石二鳥)　　동시에 두 가지 이득을 봄.

　⇨　도랑 치고 가재 잡는다.

2 고진감래(苦盡甘來)　　고생 뒤에는 즐거움이 옴.

　⇨　고생 끝에 낙이 온다.

3 고장난명(孤掌難鳴)　　혼자의 힘만으로 어떤 일을 이루기 어려움.

　⇨　외손뼉이 소리 날까.
　　> **도움말 ▲** 맞서는 사람이 없으면 싸움이 되지 않는다는 뜻으로도 쓰여요.

4 감탄고토(甘呑苦吐)　　자기가 내키는 대로 일의 옳고 그름을 판단함.

　⇨　달면 삼키고 쓰면 뱉는다.　　> **도움말 ▲** 자기에게 유리하면 함께 하고 불리하면 배척하는 이기적 태도를 나타내기도 해요.

5 적반하장(賊反荷杖)　　잘못한 사람이 아무 잘못도 없는 사람을 나무람.

　⇨　방귀 뀐 놈이 성낸다.

34

7 소와 관련된 속담

✎ 주어진 뜻에 가장 알맞은 속담을 찾아 써 보세요.

> 쇠뿔도 단김에 빼라.　　　소 잃고 외양간 고친다.
>
> 소 궁둥이에다 꼴을 던진다.
>
> 소도 언덕이 있어야 비빈다.　　　쇠귀에 경 읽기
>
> 닭 소 보듯, 소 닭 보듯

1 아무리 힘쓰고 밑천을 들여도 보람이 없음.

　⇨　소 궁둥이에다 꼴을 던진다.
　　> **도움말 ▲** '꼴'은 소에게 먹이는 풀이에요. 소 궁둥이에 꼴을 던져 봤자 먹일 수 없다는 데에서 비롯된 말이에요.

2 이미 잘못된 뒤에는 손을 써도 소용이 없음.

　⇨　소 잃고 외양간 고친다.

3 아무리 가르치고 일러 주어도 알아듣지 못함.

　⇨　쇠귀에 경 읽기
　　> **도움말 ▲** 소의 귀에 책을 읽어 줘도 알아듣지 못하는 상황을 빗댄 표현이에요.

4 서로 아무런 관심도 두지 않고 있는 사이임을 이름.

　⇨　닭 소 보듯, 소 닭 보듯

5 누구나 의지할 곳이 있어야 무슨 일이든 시작하거나 이룰 수가 있음.

　⇨　소도 언덕이 있어야 비빈다.

6 어떤 일이든지 하려고 마음먹었으면 망설이지 말고 행동으로 옮겨야 함.

　⇨　쇠뿔도 단김에 빼라.

35

8 상황에 어울리는 속담

✏️ 그림 속 상황을 보고, 빈칸에 들어갈 속담을 [보기]에서 찾아 써 보세요.

보기

뛰어야 벼룩   천 리 길도 한 걸음부터
세 살 버릇 여든까지 간다   벼 이삭은 익을수록 고개를 숙인다

1

잘도 도망가는구나. 그래 봤자 ☐이다.

➡️ 뛰어야 벼룩

→ 도망쳐 보아야 크게 벗어날 수 없다는 말

2

☐더니, 어려서 다리 떨던 습관은 여전하구나.

➡️ 세 살 버릇 여든까지 간다

→ 어릴 때 몸에 밴 버릇은 커서도 고치기 힘들다는 말

3

☐던데, 그 사람은 맨날 자기 자랑만 하는구나.

➡️ 벼 이삭은 익을수록 고개를 숙인다

→ 교양이 있고 수양을 쌓은 사람일수록 겸손하다는 말

4

☐라고 했어. 공부할 건 많지만 차근차근 꾸준하게 하는 것이 중요해.

➡️ 천 리 길도 한 걸음부터

→ 무슨 일이나 그 일의 시작이 중요하다는 말

36

보기

백지장도 맞들면 낫다   번갯불에 콩 볶아 먹겠다
남의 손의 떡은 커 보인다   가는 말이 고와야 오는 말이 곱다

5

요리를 그렇게 서둘러서야, 원. ☐.

➡️ 번갯불에 콩 볶아 먹겠다

→ 행동이 매우 민첩함을 이르는 말

도움말 ▲ 번갯불에 콩을 볶아 먹을 만큼 빠르게 움직인다는 말이에요.

6

☐더니, 내 음식을 탐내는구나.

➡️ 남의 손의 떡은 커 보인다

→ 같은 물건이라도 남의 것이 제 것보다 더 좋아 보인다는 말

7

☐더니, 함께 짐을 옮기니까 한결 수월하구나.

➡️ 백지장도 맞들면 낫다

→ 쉬운 일이라도 협력하여 하면 훨씬 쉽다는 말

8

☐라고, 네가 그렇게 말하는데 나라고 참을 수 없지.

➡️ 가는 말이 고와야 오는 말이 곱다

→ 남에게 말이나 행동을 좋게 해야 남도 자기에게 좋게 한다는 말

37

---

9 （타교과 어휘） 과학

✏️ 주어진 뜻을 참고하여 빈칸에 알맞은 글자를 써 보세요.

1 ㉠ 전기 회로에서 발전기, 전지 등을 일렬로 연결하는 것
ㄴ 전기 회로에서 발전기, 전지 등을 같은 극끼리 연결하는 것

㉠→ ☐ 병
㉡→ 직 렬

2 ㄷ 두 전극 사이에 전류가 흐르고 있을 때 흐름이 시작되는 곳
ㄹ 두 전극 사이에 전류가 흐르고 있을 때 전류가 흘러가는 극

㉢→ ☐ 음
㉣→ 양 극

3 ㅁ 두 물체를 죄거나 붙이는 데 쓰는, 각 모양의 머리를 가진 나사
ㅂ 두 물체를 죄거나 붙이는 데 쓰는, 가운데 둥근 나사 구멍을 가진 쇳조각

㉮→ ☐ 너
㉯→ 볼 트

4 ㅅ 금, 은같이 열이나 전기 등이 잘 통하는 물체
ㅇ 유리, 솜, 석면같이 열이나 전기가 통하지 않는 물체

㉰→ ☐ 부
㉱→ 도 체
도 체

도움말 ▲ 전기를 통하는 정도가 도체와 부도체의 중간쯤 되는 물질을 '반도체'라고 해요. 반도체는 전자 기기에 중요하게 쓰이는 재료예요.

38

✏️ 빈칸에 알맞은 낱말을 써서 문장을 완성해 보세요.

1 환경 보호를 위해서는 **친 환 경** 제품을 사용해야 한다.
　　　환경을 훼손하지 않고 조화를 이루는 것

2 최신식 휴대 전화에는 무선 **충 전** 기술이 적용되어 있다.
　　　전지에 전기를 모아 둠.

3 **열 기 구** 가 하늘 위로 떠오르자 사람들은 환호성을 질렀다.
　　　큰 풍선 속 공기를 가열하여 공중에 띄우게 만든 것

4 쇠막대에 전선을 감고, 전류를 흐르게 하면 **전 자 석** 이 만들어진다.
　　　전류가 흐르면서 자석의 성질이 나타나는 물체

5 건설 현장에 가면 무거운 자재를 들어 올리는 **기 중 기** 를 볼 수 있다.
　　　무거운 물건을 들어 올려 이동시키는 기계

6 나침반은 **자 기 장** 에 의해 지침이 움직이는 원리를 이용해 만든 것이다.
　　　자석이 쇠를 끌어당기는 힘의 작용이 미치는 범위

7 **자 기 부 상 열 차** 는 미래의 주요 교통수단이 될 것이다.
　　　자석의 힘으로 차량을 일정한 높이로 띄워 운행하는 열차

도움말 ▲ 레일 위로 떠서 달리는 '자기 부상 열차'는 마찰이 발생하지 않아 빠른 속도를 낼 수 있어요.

8 **발 광 다 이 오 드** 는 수명이 길고 적은 에너지로 많은 빛을 낼 수 있다.
　　　전류를 직접 빛으로 변환시키는 반도체 소자. LED

39

3장 타당한 근거로 글을 써요

 국어 교과서 112~143쪽

1 논설문

논설문은 자신의 주장을 남에게 설득하는 것이 목적이므로, 주장에 대한 타당한 이유나 근거를 들어 설명할 수 있어야 해요.

✎ 다음 주장에 알맞은 근거를 찾아 연결하세요.

도움말 ▲ 근거는 주장을 뒷받침하는 것이므로 주장과 관련성을 지니고 있어야 해요.

① 일회용품 사용을 줄이자. · · 쓰레기를 처리할 수 있는 시설이 부족하다.
· · 간편한 생활용품을 찾는 사람들이 늘고 있다.

② 사람을 외모로 평가하지 말자. · · 사람의 진정한 가치는 마음에서 나온다.
· · 사람의 얼굴에서 그 사람의 성격이 드러난다.

③ 우리말의 바른 표현을 찾아 올바르게 사용하자. · · 우리말에는 다채로운 표현이 많다.
· · 올바르지 않은 표현은 다른 사람의 기분을 상하게 한다.

42

2 주제별 어휘 1 기후

기후는 지역에서 오랫동안 나타난 기온, 강수량, 바람 등의 대기 상태를 말해요. 세계 곳곳에서는 지역에 따라 다양한 기후가 나타난답니다.

도움말 ▲ 적도(저위도)를 기준으로 극지방(고위도)으로 갈수록 날씨가 추워져요.

✎ 다음 설명이 가리키는 기후를 그림에서 찾아 써 보세요.

① 수분이 부족해서 수목이 자라기 힘들고 기온의 연교차와 일교차가 큰 기후 ⇨ 건조 기후
도움말 ▲ 연교차와 일교차는 기온이 일 년 동안, 그리고 하루 동안 변하는 차이를 말해요.

② 극지방에서 주로 볼 수 있는 기후로 제일 따뜻한 달의 평균 기온도 10℃ 아래인 기후 ⇨ 한대 기후

③ 가장 추운 달의 평균 기온은 -3℃ 아래, 가장 따뜻한 달의 평균 기온은 10℃ 이상인 기후 ⇨ 냉대 기후

④ 지구상에서 기온이 가장 높은 기후구로서, 가장 추운 달의 평균 기온이 18℃ 이상인 기후 ⇨ 열대 기후

⑤ 주로 중위도에 위치하여 사계절이 뚜렷하며, 다른 기후에 비해 상대적으로 온화한 특성을 갖는 기후 ⇨ 온대 기후

8일
월
일

43

3 주제별 어휘 2 친환경

각종 쓰레기와 매연, 화학 물질 등으로 인해 지구가 몸살을 앓고 있어요. 지구를 보호하려는 움직임이 일면서 사람들은 '친환경'에 많은 관심을 기울이고 있어요.

✎ 빈칸에 알맞은 낱말을 써서 문장을 완성해 보세요.

① 건강을 위해 유기농 식품을 찾는 소비자가 늘고 있다.
농약을 쓰지 않고 하는 농업

② 지구 온난화 로 인한 기상 재해가 매년 늘어나고 있다.
공기 오염으로 지구의 기온이 높아지는 것

③ 환경을 보호하려면 합성 세제보다는 천연 세제를 써야 한다.
사람의 힘을 가하지 아니한 상태

④ 우리 회사가 생산하는 탄산음료는 청정 지역에서 만들어진다.
맑고 깨끗한 상태

⑤ 나무가 내뿜는 피톤치드 는 신경을 안정시키는 효과가 있다.
나무에서 나와 주위의 미생물을 죽이는 작용을 하는 물질
도움말 ▲ 식물은 세균 및 해충으로부터 자신을 보호하려고 스스로 천연 항생 물질인 '피톤치드'를 분비해요.

⑥ 이곳에서는 풍력 발전을 위해 만든 풍차들이 쉴 새 없이 돌아가고 있다.
동력으로서의 바람의 힘

⑦ 세계 각국은 협약을 통해 이산화탄소 를 줄이는 데 합의하였다.
탄소가 완전히 탈 때 생기는 기체

44

4 잘못 쓰기 쉬운 말 가슴팍

✎ 다음 문장에 알맞은 낱말을 찾아 ○표 하고, 바르게 써 보세요.

① 날아오는 공을 (가슴빡 /(가슴팍))으로 받아 냈다. ⇨ 가슴팍
가슴의 판판한 부분을 속되게 이르는 말

② 소년은 지나가는 여자아이를 ((흘긋)/ 흘낏) 보았다. ⇨ 흘긋
가볍게 한 번 흘겨보는 모양
도움말 ▲ '흘긋'보다 센 느낌을 주는 '흘낏'도 표준어예요.

③ 새로운 전염병이 돌자 나라 (안밖 /(안팎))이 시끄럽다. ⇨ 안팎
도움말 ▲ 안과 밖을 아울러 이르는 말은 '안밖(×)'이라 쓰지 않고 '안팎'으로 써요.

④ 마트에 가면 항상 (맛배기 /(맛보기)) 행사가 펼쳐진다. ⇨ 맛보기

⑤ 스트레스를 받으면 암의 (발병율 /(발병률))이 높아진다. ⇨ 발병률
인구수에 대한 새로 생긴 질병 수의 비율
도움말 ▲ 모음이나 'ㄴ' 받침 뒤에 이어지는 '렬, 률'은 '열, 율'과 같이 적고, 그 밖의 경우는 본음대로 '렬, 률'로 적어요.

⑥ 아침에 일어나 ((이부자리)/ 이불자리)를 개고 청소를 했다. ⇨ 이부자리
이불과 요를 통틀어 이르는 말

⑦ 그는 (재제소 /(제재소))에서 사온 나무로 지게를 만들었다. ⇨ 제재소
베어 낸 나무로 재목을 만드는 곳

8일
월
일

45

5 형태는 같은데 뜻이 다른 말 심사

✏️ 빈칸에 공통으로 들어갈 낱말을 써 보세요.

❶ 심사
① 친구들의 놀림에 [　　] 가 뒤틀렸다.
　어떤 일에 대한 여러 가지 마음의 작용
② 오늘은 환경 미화 [　　] 가 있는 날이다.
　자세하게 조사하여 등급, 당락을 결정함.

> **도움말 ▲** 동형어는 형태가 같을 뿐 사전에 전혀 다른 낱말로 분류되어 있어요.

❷ 대가
① 베토벤은 음악의 [　　] 이다.
　전문 분야에서 권위를 인정받는 사람
② 일을 하고 나서 [　　] 를 받는 것은 당연하다.
　일을 하고 받는 보수

❸ 공모
① 새 직원을 [　　] 로 모집했다.
　일반에게 널리 공개하여 모집함.
② 검찰은 남자가 [　　] 에 가담했는지 조사할 예정이다.
　공동 모의

❹ 동기
① 작가는 작품을 쓰게 된 [　　] 를 밝혔다.
　어떤 일이나 행동을 일으키게 하는 계기
② 올해의 수출 실적은 전년 [　　] 대비 두 배가 늘었다.
　같은 시기. 또는 같은 기간

46

---

6 바꿔 쓸 수 있는 말 착취하다

✏️ 밑줄 친 낱말과 바꿔 쓸 수 있는 낱말을 [보기]에서 찾아 써 보세요.

> **보기**
> 애쓰다　　난처하다　　분류하다　　수탈하다
> 수확하다　　자립하다　　자잘하다　　절감하다

❶ 일 년 동안 가꾼 농작물을 재배하다. ⇨ 수확하다
　익거나 다 자란 농수산물을 거두어들이다.

❷ 분말은 눈으로 봐도 알갱이가 미세하다. ⇨ 자잘하다
　여럿이 다 가늘거나 작다.

❸ 한데 모은 우편물을 지역별로 구분하다. ⇨ 분류하다
　기준에 따라 가르다.

> **도움말 ▲** 글의 전개 방식에 따르면 '분류'와 '구분'은 의미가 다르지만, 일상에서 쓰일 때는 비슷한 의미로 사용해요.

❹ 양반 관리들이 백성들의 양식을 착취하다. ⇨ 수탈하다
　강제로 빼앗다.

❺ 주머니 사정을 생각해서 비용을 절약하다. ⇨ 절감하다
　비용을 아껴서 줄이다.

❻ 나이가 들어 부모의 간섭에서 벗어나 독립하다. ⇨ 자립하다
　남에게 기대지 않고 스스로 서다.

❼ 회사 사정에 대해서는 더 이상 말하기 곤란하다. ⇨ 난처하다
　어떻게 해야 할지 몰라 답답하다.

❽ 불우한 이웃을 돕기 위해 자원봉사자들이 노력하다. ⇨ 애쓰다
　힘들이다.

47

---

7 뜻이 반대인 말 흡수하다/배출하다

✏️ 문장을 바르게 고치려고 해요. 밑줄 친 낱말과 반대되는 낱말을 써 보세요.

❶ 운동을 많이 해서 식욕이 감퇴하다. ⇨ 증진되다
　기운이나 세력 따위를 점점 늘려가다.

❷ 나무가 뿌리를 통해 수분을 배출하다. ⇨ 흡수하다
　빨아서 거두어들이다.

❸ 이 증거로는 범인이 누구인지 분명하다. ⇨ 모호하다
　말이나 태도가 흐리터분하여 분명하지 않다.

> **도움말 ▲** '모호하다'와 비슷한 말로 '애매하다'가 있어요. 두 낱말을 합쳐 '애매모호하다'라고 쓰기도 해요.

❹ 새 사업을 준비하기 위해 사람을 해고하다. ⇨ 고용하다
　삯을 주고 남의 일을 하게 하다.

❺ 점심에 먹은 음식이 상했는지 속이 편하다. ⇨ 거북하다
　몸이 불편하다.

❻ 정부가 기업에게 세금을 걷는 것은 부당하다. ⇨ 정당하다
　올바르고 마땅하다.

> **도움말 ▲** 한자 '부(不)'의 반대되는 한자는 '정(正)'이에요.

❼ 중국이 세계에서 원유를 가장 많이 수출하다. ⇨ 수입하다
　다른 나라로부터 상품이나 기술을 사들이다.

> **도움말 ▲** 한자 '출(出)'의 반대되는 한자어는 '입(入)'이에요.

48

---

8 띄어쓰기 적

'적'은 일부 낱말이나 '-은', '-을' 뒤에 쓰여 '어떤 때'를 나타내는 말이에요. 다른 말에 기대어 쓰이지만 하나의 낱말로 앞말과는 띄어 써야 해요.

아이√적에 있었던 일　　　물건을 살√적에 있었던 일

> **도움말 ▲** '적'과 같이 다른 말에 기대어 쓰이는 명사를 '의존 명사'라고 해요.

✏️ 다음 문장을 주어진 횟수에 따라 바르게 띄어 써 보세요.

❶ 나는편하게잠을잔적이없다. (5회)

나	는		편	하	게		잠	을		잔		적
이		없	다	.								

❷ 이것은학생적찍은사진이다. (4회)

이	것	은		학	생		적		찍	은		사
진	이	다	.									

❸ 어릴적버릇은늙어서까지간다. (4회)

어	릴		적		버	릇	은		늙	어	서	까
지		간	다	.								

❹ 우리는나라를잃었던적도있었다. (4회)

우	리	는		나	라	를		잃	었	던		적
도		있	었	다	.							

49

9 꾸며 주는 말 얼른

✏️ 빈칸에 알맞은 낱말을 주어진 글자 카드로 만들어 써 보세요.

| 그 | 도 | 른 | 신 | 얼 | 연 | 저 | 통 |

1 비가 온다니, 　얼　른　 빨래를 걷어야겠다.
　　시간을 끌지 아니하고 바로
> **도움말▲** '언능(×), 언른(×)'과 같이 잘못 쓰지 않도록 해요.

2 두 사람은 서로 마주보고 　그　저　 웃기만 했다.
　　다른 일은 하지 않고 그냥

3 아이가 원하는 것이 무엇인지 　도　통　 알 수가 없었다.
　　아무리 해도, 도무지

4 그녀는 어머니를 집으로 떠나보내면서 　연　신　 눈물을 훔쳤다.
　　잇따라 자꾸

| 껏 | 고 | 꼬 | 박 | 얼 | 작 | 추 | 한 |

5 이 일을 마치는 데 　꼬　박　 사흘이 걸렸다.
　　어떤 상태를 고스란히 그대로

6 앞서 출발한 팀원들이 　얼　추　 도착할 시간이 되었다.
　　어떤 기준에 거의 가깝게

7 언니는 짧은 치마에 뾰족구두를 신고 　한　껏　 멋을 부렸다.
　　할 수 있는 데까지

8 그가 하루를 일하고 손에 쥔 것은 　고　작　 단돈 이만 원이었다.
　　기껏 따져 보거나 헤아려 보아야

50

---

10 외래어 표기 슈퍼마켓

✏️ 다음 글에서 외래어의 올바른 표기를 찾아 써 보세요.

우리 동네에 대형 할인점이 들어섰다. 길가에는 입점을 알리는 ①(플래카드/플랜카드)가 곳곳에 붙었고, 주민들의 휴대 전화에는 싸게 파는 행사 품목들이 적힌 문자 ②(메세지/메시지)가 돌았다. 입점 당일, 사람들은 가까운 동네 ③(슈퍼마켓/슈퍼마켈)에서 살 수 있는 물건도 이곳 할인점에서 사려고 모여들었다. 할인점에는 ④(커피샵/커피숍)도 함께 들어섰는데, ⑤(쇼윈도/쇼윈도우) 안의 먹음직스럽게 보이는 여러 종류의 ⑥(케일/케이크) 장식이 사람들의 시선을 끌었다.

1 긴 천에 글을 적어 양쪽 장대에 매어 놓은 표지물 　⇨　 플래카드

2 언어나 기호에 의하여 전달되는 정보 내용 　⇨　 메시지

3 온갖 상품을 벌여 놓고 파는 규모가 큰 상점 　⇨　 슈퍼마켓
> **도움말▲** 외래어를 표기할 때에는 받침에 'ㄱ, ㄴ, ㄹ, ㅁ, ㅂ, ㅅ, ㅇ'만 사용해요.

4 주로 커피차를 팔면서 쉴 수 있도록 꾸며 놓은 가게 　⇨　 커피숍

5 가게에서 진열한 상품을 들여다볼 수 있도록 설치한 유리창 　⇨　 쇼윈도

6 밀가루, 달걀, 버터, 우유 등을 원료로 하여 오븐에 구운 음식 　⇨　 케이크

51

---

11 타교과 어휘 도덕

✏️ 빈칸에 알맞을 낱말을 [보기]에서 찾아 써 보세요.

보기

| 가치 | 고뇌 | 권위 | 배려 | 성찰 | 신의 | 위문 |

1 그의 연주에는 인생의 　고뇌　 가 서려 있었다.
　　정신적인 고민과 괴로움

2 자유 민주 국가에서는 인간의 　가치　 와 개성을 존중한다.
　　귀중하게 여길 만한 성질이나 중요한 것

3 새로 임명된 장관은 교육 분야에서 　권위　 있는 전문가이다.
　　남이 떠받들 만한 뛰어난 지식, 기술 또는 실력

4 국군의 날이 되면 친구들과 인근 부대로 　위문　 을 가기로 했다.
　　몸과 마음이 괴롭거나 수고하는
　　사람을 찾아가 위로하는 것

5 그는 선생님의 　배려　 로 학비에 대한 걱정 없이 공부에 전념했다.
　　도와주거나 보살펴 주려는 마음 씀씀이

6 두 사람 사이에 우정이 싹트려면 　신의　 를 지키는 것이 중요하다.
　　서로 믿고 저버리지 않는 마음

7 사람은 자신의 행위를 　성찰　 하고 그 안에서 잘못을 깊이 뉘우친다.
　　자신의 삶을 반성하며 깊이 살피는 것

52

✏️ 밑줄 친 말을 한 낱말로 바꿔 써 보세요.

1 이 집은 자연에 친근하게 잘 어울리는 것이다.
　　⇨ 친 화 적
> **도움말▲** 명사 뒤에 붙는 '-적'은 '그 성격을 띠는', '그에 관계된' 또는 '그런 것'의 의미를 더해 주어요.

2 이 동화책은 도덕의 규범에 맞는 내용을 많이 담고 있다.
　　⇨ 도 덕 적

3 사람은 무리를 이루어 살려고 하는 성질을 지닌 동물이다.
　　⇨ 사 회 적

4 어느 나라든 입국 심사는 마음이 어떻든 해야만 하는 규정이다.
　　⇨ 의 무 적

5 문제를 해결할 지금까지 없던 특성을 가진 방법을 고민해 보았다.
　　⇨ 창 의 적

6 연극이 끝나고 난 후 느낌에 강하게 남는 장면이 머리에서 맴돌았다.
　　⇨ 인 상 적

7 우리는 외세에 의존하지 않고 남의 간섭을 받지 않고 하는 통일을 원한다.
　　⇨ 자 주 적

53

4장 효과적으로 발표해요

📖 국어 교과서 144~167쪽

1 매체를 활용한 발표

발표를 할 때, 영상 등의 매체를 잘 활용하면 내용을 전달하고 설득력을 높이는 데 도움이 돼요. 발표에서 보여 줄 영상은 그 목적에 맞게 제작하면 더욱 효과적이지요.

✏️ 다음은 영상 자료를 제작하고 발표하는 과정을 순서대로 나열한 것입니다. 빈칸에 알맞은 말을 [보기]에서 찾아 써 보세요.

보기

| 점검 | 주제 | 장면 | 촬영 | 편집 | 상황 |

↓↓↓↓↓↓↓↓↓↓↓↓↓↓↓↓↓↓↓↓↓↓↓↓↓

첫째, 발표의 목적, 듣는 사람, 발표 장소 등의 발표 │상황│ 을 파악한다.

둘째, 듣는 이가 흥미를 느낄 만한 │주제│ 를 정한다.

셋째, 영상에 담을 내용과 │장면│ 을 정한다.

넷째, 계획에 맞게 역할을 나누고 전하려는 내용이 잘 드러나게 │촬영│ 한다.

다섯째, 필요한 영상을 골라 차례에 맞게 │편집│ 한다.
도움말▲ '편집'은 영상이나 녹음 테이프, 문서 따위를 다듬어서 하나의 작품으로 완성하는 일을 말해요.

여섯째, 발표 영상 및 음성에 문제가 없는지 최종적으로 │점검│ 하고, 발표한다.

56

2 주제별 어휘 영상 제작

드라마나 영화와 같은 영상 매체를 촬영하는 데는 준비가 필요해요. 한 편의 영상을 만들기 위해 감독을 포함한 제작진들은 각자의 분야에서 많은 노력을 기울여요.

✏️ 글 상자의 낱말을 따라 쓰고, 그에 알맞은 뜻을 찾아 번호를 써 보세요.

1 이 영화는 │영│상│ 이 정말 아름답다. (①)

① 영화나 텔레비전의 화면에 나타나는 모습
② 선과 색채로 평평한 면 위에 나타낸 사물의 모양
도움말▲ ②는 '그림'의 뜻이에요.

2 촬영이 시작되자 │조│명│ 이 배우를 환하게 비추었다. (①)

① 연극, 영화, 사진 촬영의 대상에 비추는 빛
② 빛의 반사를 이용하여 물체의 모양을 비추어 보는 물건
도움말▲ ②는 '거울'의 뜻이에요.

3 대다수의 감독들은 │대│본│ 에 충실한 배우를 신뢰한다. (②)

① 배우가 자신의 장단점을 정리하여 적은 글
② 연극이나 영화를 만드는 데 필요한 지시를 적은 글

4 영화의 특징은 감독의 │연│출│ 방식에 따라 다르게 나타난다. (②)

① 물건이나 작품 등을 처음으로 만들거나 지어내는 일
② 배우의 연기, 무대 장치 등을 종합적으로 지도하여 작품을 만드는 일
도움말▲ ①은 '창작(創作)'의 뜻이에요.

5 이 스피커는 공연을 보는 듯한 현실감 있는 │음│향│ 을 만들어 낸다. (①)

① 물체에서 나는 소리의 울림
② 동시 또는 차례로 울리는 두 음의 높낮이 간격
도움말▲ ②는 '음정(音程)'의 뜻이에요.

57

3 뜻을 더하는 말 1 -거리다, -대다

'-거리다'와 '-대다'는 '그런 상태가 잇따라 계속됨.'의 뜻을 더하는 말이에요. 주로 소리나 모양을 흉내 내는 말에 붙여 쓰는 경우가 많아요.

도움말▲ '-거리다'와 '-대다'는 같은 말이에요.

✏️ [보기]의 소리나 모양을 흉내 내는 말을 참조하여, 빈칸에 알맞은 낱말을 써 보세요.

보기

| 기웃기웃 | 버둥버둥 | 수군수군 | 웅얼웅얼 | 절뚝절뚝 |

도움말▼ [보기]의 낱말에서 반복되는 부분은 지우고, '-대다' 또는 '-거리다'를 붙여 빈칸을 채우도록 해요.

1 가난에서 벗어나기 위해
│버│둥│대│다│.
│버│둥│거│리│다│.
힘에 겨운 처지에서 벗어나려고 자꾸 애를 쓰다.

2 여러 명의 학생이 머리를 맞대고
│수│군│대│다│.
│수│군│거│리│다│.
다른 사람에게 안 들리도록 낮은 목소리로 자꾸 이야기하다.

3 선생님을 뵙고자 교무실을
│기│웃│대│다│.
│기│웃│거│리│다│.
무엇을 보려고 고개나 몸을 이쪽저쪽으로 자꾸 기울이다.

4 어머니가 밭일을 하며 노랫가락을
│웅│얼│대│다│.
│웅│얼│거│리│다│.
똑똑하지 아니하게 혼자 입속말을 자꾸 해 대다.

5 전쟁에서 부상을 입은 병사가 다리를
│절│뚝│대│다│.
│절│뚝│거│리│다│.
한쪽 다리가 짧거나 탈이 나서 자꾸 뒤뚱뒤뚱 절다.

58

4 뜻을 더하는 말 2 '-화'

낱말의 끝에 한자 '화(化)'가 덧붙으면 '그렇게 만들거나 됨.'의 뜻을 더하게 돼요.

아열대 + -화 → 아열대화
열대와 온대의 중간

도움말▲ '-화'를 아무 낱말에다가 함부로 붙여 쓰면 어색한 표현이 될 수 있어요.

✏️ 다음 밑줄 친 부분을 다른 말로 바꿔 써 보세요.

1 지구 기온이 높아지게 되면서 자연재해가 늘어나고 있다.

⇨ │온│난│화│ 로

2 작업의 생산 과정을 여럿으로 나누어 함으로 생산성이 향상되었다.

⇨ │분│업│화│ 로

3 부자와 가난한 사람 간의 서로 점점 더 달라지고 멀어짐이 심해지고 있다.

⇨ │양│극│화│ 가

4 공장의 노동을 기계가 대신함으로 제품을 생산하는 시간이 훨씬 줄어들었다.

⇨ │기│계│화│ 로

5 기업들은 정보를 빠르고 효과적으로 주고받게 됨으로 인해 많은 돈을 벌었다.

⇨ │정│보│화│ 로

6 스마트폰의 쓰임이 대중 사이에 널리 퍼짐으로 게임 산업이 더욱 커질 전망이다.

⇨ │대│중│화│ 로

59

5 뜻이 반대인 말 사익/공익

밑줄 친 낱말에 반대되는 낱말을 빈칸에 넣어 문장을 완성해 보세요.

1 암흑 속에서 한 줄기 光明 을 찾았다.
캄캄한 어둠

도움말 ▲ 반대말은 짝을 지어 익혀 둘 수 있도록 해요.

2 모든 생물은 생성하면 消滅 하기 마련이다.
사물이 생겨남.

3 그는 사익보다는 公益 을 우선으로 생각했다.
개인의 이익

도움말 ▲ '공익'은 공공의 이익을 뜻하는 말이에요.

4 며칠 동안 악몽을 꿨는데, 어제는 吉夢 을 꾸었다.
불길하고 무서운 꿈

5 단역 배우는 무대에 잠깐 등장하고는 退場 해 버렸다.
무대나 연단 위에
나타남.

6 유해 물질에 중독되었을 때 간은 解毒 하는 작용을 한다.
독 성분으로 신체 이상이
생긴 상태

7 소금기 많은 바닷바람이 해안에서 內陸 을 향하여 불었다.
바다와 육지가
맞닿은 부분

도움말 ▲ '내륙'은 바다에서 멀리 떨어진 육지를 말해요.

8 내 말에 동의를 하지 않으면 異議 가 있는 것으로 여길 것이다.
의사나 의견을 같이 함.

60

6 바꿔 쓸 수 있는 말 조장하다

빈칸에 가장 어울리는 낱말 쌍을 [보기]에서 찾아 써 보세요.

보기

외지다 - 구석지다 　　 힘차다 - 우렁차다 　　 개최하다 - 주최하다
대피하다 - 피신하다 　　 몰입하다 - 몰두하다 　　 조장하다 - 부추기다

도움말 ▼ 짝 지어진 문장에 낱말 쌍의 순서를 바꾸어 넣어 보며,
낱말의 의미를 익혀 두도록 해요.

1 ┌ 사람들이 전쟁을 피해 대피하다 .
　 └ 지진 경보가 발령되자 급히 피신하다 .
　　　　　　　　　　　　　위험을 피하여 몸을 숨기다.

2 ┌ 누나가 그림을 그리는 일에 몰입하다 .
　 └ 시험을 준비하기 위해 공부에 몰두하다 .
　　　　　　　　　　어떤 일에 온 정신을 다 기울여 집중하다.

3 ┌ 적진을 향해 외치는 병사들의 함성이 힘차다 .
　 └ 물음에 대답하는 학생들의 목소리가 우렁차다 .
　　　　　　　　　　　　소리의 울림이 매우 크고 힘이 있다.

4 ┌ 우리가 방송을 보고 찾아간 음식점은 외지다 .
　 └ 할머니가 어릴 적부터 살아온 동네는 구석지다 .
　　　　　　　　　　　　위치가 중앙에서 멀리 떨어져 있다.

5 ┌ 우리 사회의 지나친 경쟁이 이기심을 조장하다 .
　 └ 국제 석유 가격의 급등이 물가 상승을 부추기다 .
　　　　　　　　　　감정이나 상황이 심해지도록 영향을 미치다.

6 ┌ 구청에서 불우 이웃 돕기 바자회를 개최하다 .
　 └ 시청에서 일 년에 한 번씩 마라톤 대회를 주최하다 .
　　　　　　　　　　　　행사나 모임을 기획하여 열다.

61

7 한자어 주(主)

낱말의 앞에 한자 '주(主)'가 합쳐진 낱말들은 '주로, 기본이 되는'의 의미를 가지게 돼요.

주 + 산지 → 주산지
주로　생산되는 곳

주 + 원인 → 주원인
주된

빈칸에 알맞은 낱말을 써서, 문장을 완성해 보세요.

1 감귤의 主産地 는 제주도이다.
어떤 물건이 주로 생산되는 지역

도움말 ▲ 생산되어 나오는 지역을 가리키는 말은 '산지'예요.

2 환자가 겪는 두통의 主原因 은 스트레스이다.
주된 원인

3 그 씨름 선수의 主特技 는 밭다리 걸기이다.
주된 특기

4 올해 우리 팀의 主目標 는 전국 대회 우승이다.
주가 되는 목표

5 아빠가 끓여 주는 찌개의 主材料 는 김치이다.
무엇을 만드는 데에 쓰는 주된 재료

6 시범 경기가 끝나고 이제부터 본격적인 主競技 가 시작된다.
여러 경기 가운데 으뜸이 되는 경기

7 콜라의 主成分 은 설탕이므로, 너무 많이 먹는 것은 좋지 않다.
어떤 물질을 이루는 주된 성분

62

8 뜻이 여러 가지인 말 달다

한 낱말이 두 가지 이상의 뜻을 가지고 있으면 이를 '다의어'라고 해요. 이때 다의어가 가진
뜻들은 의미가 서로 관련되어 있어요.

밑줄 친 낱말의 알맞은 뜻을 찾아 번호를 써 보세요.

달다	① 물건을 일정한 곳에 걸거나 매어 놓다.
	② 장부에 적다.
	③ 글이나 말에 설명 따위를 덧붙이거나 보태다.

도움말 ▲ ①과 같이 낱말의 기본적인 의미를 '중심 의미', 나머지는 '주변 의미'라고 해요.

1 더 이상 내 말에 토를 달지 말아라. ⇨ ③

2 오늘 먹은 점심값은 외상으로 달아 두어라. ⇨ ②

3 국경일을 맞아 대문에 태극기를 단 집들이 많이 눈에 띈다. ⇨ ①

도움말 ▲ '국경일'은 광복절, 개천절과 같이 국가적인 경사를 기념하기 위해 정한 날이에요.

찾다	① 사람이나 사물을 발견하려고 뒤지거나 살피다.
	② 맡겨 놓은 것을 다시 가지고 가다.
	③ 모르는 것을 알아내고 밝혀내려고 애쓰다.
	④ 어떤 사람이나 장소를 보러 그와 관련된 곳으로 옮겨 가다.

4 큰오빠는 명절을 맞아 고향 집을 찾았다. ⇨ ④

5 길을 잃은 아이가 부모를 애타게 찾고 있다. ⇨ ①

6 부모님의 선물을 사기 위해 은행에 저금한 돈을 찾았다. ⇨ ②

7 주민들은 문제에 대한 해답을 찾기 위해 한자리에 모였다. ⇨ ③

63

9 관용어 어안이 벙벙하다

'어안'은 입 속에 있는 혀의 안쪽을 이르는 말이고, '벙벙하다'는 멍한 상태를 나타내는 말이에요. 두 말이 합쳐져 관용어로 쓰이면, 놀라운 일을 당해 어리둥절하다는 하나의 의미를 가지게 돼요.

카드를 왼쪽에서 하나, 오른쪽에서 하나씩 꺼내어 빈칸에 알맞은 말을 만들어 써 보세요.

숨을	덜미를	들이다	높다
어안이	뜸을	박다	돌리다
콧대가	쐐기를	벙벙하다	잡히다

1 말이 새어 나가지 않도록 미리 **쐐기를 박다** .
> 뒤탈이 없도록 미리 단단히 다짐을 두다.
> 도움말▲ 나무로 짠 물건끼리 연결할 때 고정시키기
> 위해 박아 넣는 나무로 된 나사를 '쐐기'라고 해요.

2 생각하지도 않은 상을 받게 되어 **어안이 벙벙하다** .
> 뜻밖에 놀랍거나 기막힌 일을 당하여 어리둥절하다.

3 부끄러워서 할 말도 제대로 못하고 **뜸을 들이다** .
> 서둘지 않고 한동안 가만히 있다.

4 범인이 계속해서 도둑질을 하더니 **덜미를 잡히다** .
> 못된 일 따위를 꾸미다가 들키다.
> 도움말▲ '덜미'는 '목의 뒤쪽 부분과 그 아래 근처'를 가리켜요.

5 바쁜 일로 쫓기다가 요즈음에야 잠깐 **숨을 돌리다** .
> 잠시 여유를 얻어 휴식을 취하다.

6 그녀는 웬만한 남자는 거들떠보지 않을 만큼 **콧대가 높다** .
> 잘난 체하고 뽐내는 태도가 있다.

64

---

10 띄어쓰기 채

'채'는 '이미 있는 상태 그대로 있다.'는 뜻을 나타내는 말이에요. '−은/는 채로', '−은/는 채'의 구성으로 쓰여요. 하나의 낱말이므로 앞말과는 띄어 써야 해요.

옷을 입은✔채로 ~   고개를 숙인✔채 ~

다음 문장을 주어진 횟수에 따라 바르게 띄어 써 보세요.

1 동생은벽에기댄채로잠이들었다. (5회)

동	생	은		벽	에		기	댄		채	로
잠	이		들	었	다	.					

2 그는멱살을잡힌채질질끌려갔다. (5회)

그	는		멱	살	을		잡	힌		채		질
질		끌	려	갔	다	.						

3 아이가엄마등에업힌채울고있다. (6회)

아	이	가		엄	마		등	에		업	힌
채		울	고		있	다	.				

4 두사람이서로뒤엉킨채로싸우고있다. (6회)

두		사	람	이		서	로		뒤	엉	킨
채	로		싸	우	고		있	다	.		

65

---

11 타교과 어휘 수학

빈칸에 알맞은 낱말을 [보기]에서 찾아 써 보세요.

> **보기**
> 분모   분자   약분   공배수   공약수

1 단위 분수 ➡ **분자** 가 1인 분수

2 기약 분수 ➡ 분모와 분자 사이의 **공약수** 가 1뿐이어서 **약분** 되지 않는 분수

3 약분 ➡ **분모** 와 분자를 **공약수** 로 나누어 간단하게 하는 것

4 통분 ➡ **분모** 의 최소 **공배수** 를 공통분모로 삼아 분모를 같게 만드는 것

다음은 [보기]에 대한 설명이에요. 빈칸에 알맞은 낱말을 써 보세요.

> **보기**
> 비례식 3 : 4 = 6 : 8

1 비 3 : 4와 6 : 8에서 3과 6을 **전 항** 이라 하고, 4와 8을 **후 항** 이라 한다.

2 비례식 3 : 4 = 6 : 8에서 4와 6은 **내 항** 이라 하고, 3과 8은 **외 항** 이라 한다.

66

밑줄 친 말의 알맞은 뜻을 찾아 번호를 써 보세요.

1 흔히 참값을 반올림하여 <u>근삿값</u>으로 나타낸다.   (②)
① 예상한 값과 참값과의 차이
② 셈하거나 측정해 얻은 참값에 아주 가까운 값

2 <u>비례 배분</u>한 각각의 값의 합은 전체의 값과 같다.   (①)
① 전체의 수량을 주어진 비로 나누는 것
② 전체의 수량을 특정한 하나의 수로 나누는 것
> 도움말▲ 전체의 양 100을 2:3으로 비례 배분하면 40과 60으로
> 나눌 수 있어요. 이때 40과 60의 합은 전체의 양 100과 같아요.

3 원의 크기와 상관없이 모든 원의 <u>원주율</u>은 약 3.14이다.   (①)
① 원의 지름에 대한 원의 둘레의 비율
② 원의 반지름에 대한 원의 둘레의 비율

4 한 모서리의 길이가 1cm인 정육면체의 <u>부피</u>는 '1cm³'이다.   (②)
① 입체 도형을 펼친 상태에서 잰 넓이
② 입체 도형이 공간에서 차지하는 크기

5 도형을 <u>대칭 이동</u>하면 도형의 좌, 우 또는 상, 하가 서로 바뀐다.   (②)
① 어떤 도형을 처음 도형과 겹쳐지도록 움직이는 것
② 어떤 도형을 처음 도형과 대칭이 되도록 움직이는 것

6 회전축이 평면 도형과 떨어져 있는 경우에는 속이 빈 <u>회전체</u>가 된다.   (②)
① 평면 도형을 한 직선을 축으로 하여 반 바퀴 회전시켜 생기는 입체 도형
② 평면 도형을 한 직선을 축으로 하여 한 바퀴 회전시켜 생기는 입체 도형
> 도움말▲ '회전축'은 어떤 도형이 회전하여 회전체가 될 때,
> 그 회전의 중심이 되는 직선이에요.

67

5장 글에 담긴 생각과 비교해요

📖 국어 교과서 212~245쪽

1 토론

토론은 문제 해결을 위해 토론을 진행하는 사회자, 찬반 양편으로 나뉘어 토론을 벌이는 토론자, 토론을 듣고 평가하는 청중이 참여하는 말하기예요.

✏️ 토론 참여자의 역할을 정리하려고 해요. 빈칸에 들어갈 가장 알맞은 낱말을 [보기]에서 찾아 써 보세요.

보기

근거	논제	의견	전개
정리	진행	질문	뒷받침

도움말 ▼ 문장의 내용을 고려해 들어갈 낱말이 자연스러운 것을 고르도록 하세요.

참여자	역할
토론자	• __논제__ 을/를 분석하여 찬반이 대립되는 점을 분명히 안다. 　　도움말 ▲ 토론의 주제를 '논제'라고 해요. • 주장할 내용을 __뒷받침__ 할 증거 자료를 수집한다. • 주장을 명확히 전달할 논리 __전개__ 방법을 사용한다.
사회자	• 토론 장소와 참여자를 배치하고, 토론을 __진행__ 한다. • 토론자들의 발언을 요약하여 토론 내용을 __정리__ 한다. • 보충 __질문__ 을/를 해서 토론이 원만하게 이루어지도록 한다.
청중	• 토론자의 말을 사실과 __의견__ (으)로 구분해서 듣는다. • 주장이 타당한지, __근거__ 이/가 적절하고 믿을 만한지 판단한다.

70

---

2 주제별 어휘 전통 건축물

오늘날 남아 있는 옛 전통 건축물들은 대개 문화재로 지정되어 있어요. 전통 건축물들은 우리 조상들의 문화와 삶의 방식, 지혜 등을 엿볼 수 있는 중요한 자료로서 가치가 매우 높기 때문이에요.

14일
월
일

✏️ 다음 그림에 알맞은 낱말을 [보기]에서 찾아 써 보세요.

보기

누각	사찰	성곽	정자

❶
__정자__
경치가 좋은 곳에 지은,
지붕과 기둥만 있는 집

❷
__성곽__
적을 막기 위하여 흙이나 돌 따위로
높이 쌓아 만든 담

도움말 ▲ 전통 건축물의 이름에 경회루, 광한루와 같이 '루(樓)'가 붙으면 누각이에요. 면앙정, 부용정과 같이 '정(亭)'이 붙으면 정자라고 할 수 있어요.

❸
__누각__
사방을 볼 수 있도록 문과 벽이 없이
다락처럼 높이 지은 집

❹
__사찰__
규모가 큰 절

71

---

3 형태는 같은데 뜻이 다른 말 실례

✏️ 빈칸에 공통으로 들어갈 낱말을 써 보세요.

❶ 실 례
① □□를 무릅쓰고, 여쭤 보겠습니다.
　말이나 행동이 예의에 벗어남. 또는 그런 말이나 행동
② 네가 한 설명에 □□를 들어 보아라.
　구체적인 실제의 예

도움말 ▲ ①과 ②는 형태만 같을 뿐, 전혀 다른 낱말인 동형어예요.

❷ 장 관
① 산꼭대기에서 내려다본 풍경은 □□이었다.
　훌륭하고 장대한 광경
② 신임 □□이 취임식에서 각오를 밝히고 있다.
　행정 각 부의 우두머리

❸ 이 해
① 장사꾼은 계약을 할 때에 우선 □□를 따진다.
　손해와 이익을 아울러 이르는 말
② 그가 무슨 말을 하는지 도통 □□를 할 수가 없다.
　깨달아 앎.

❹ 성 인
① 공자와 같은 □□의 사상은 후세에 많은 영향을 미쳤다.
　지혜와 덕이 뛰어나 길이 우러러 본받을 만한 사람
② 자라서 □□이 되면 자기의 일은 스스로 결정해야 한다.
　자라서 어른이 된 사람

72

---

4 줄여 쓰는 말 편안치 않다

'-하지 않다'에서 '-하지' 앞에 붙는 말이 모음으로 끝나거나, 'ㄴ, ㄹ, ㅁ, ㅇ' 등으로 끝날 때에는 '-치 않다'로 줄여 쓸 수 있어요. 그 밖의 경우는 '-지 않다'로 줄여 써요.

편안하지 않다 → 편안치 않다
'ㄴ'으로 끝남.

거북하지 않다 → 거북지 않다
일반적인 경우

14일
월
일

✏️ 밑줄 친 말을 줄여 써 보세요.

❶ 이전에 사 놓은 식료품이 넉넉하지 않다.　⇨　넉넉지

❷ 그 아이의 행동은 상황에 적절하지 않다.　⇨　적절치

❸ 이 길은 처음 가 보기 때문에 익숙하지 않다.　⇨　익숙지

❹ 반성할 줄도 모르다니, 용서하지 않을 것이다.　⇨　용서치

❺ 청소를 대충해 버려서 교실이 깨끗하지 않다.　⇨　깨끗지

❻ 선생님과 면담을 원하지 않는 학생은 손을 들어라.　⇨　원치

❼ 이번에 산 기계는 전에 있던 것보다 간편하지 않다.　⇨　간편치

73

5 꾸며 주는 말 사뭇

✏️ 글 상자의 낱말을 따라 쓰고, 그에 알맞은 뜻을 [보기]에서 찾아 기호를 써 보세요.

> **보기**
> ㉠ 아무리 해도
> ㉡ 정성을 다하여
> ㉢ 아주 딴판으로
> ㉣ 아무런 뜻이나 생각이 없이
> ㉤ 동작이 빠르고 시원스러운 모양
> ㉥ 갑자기 어떠한 생각이 떠오르는 모양
> ㉦ 어떤 일이 있고 난 다음에야 처음으로

1 사람마다 생김새가 다르듯 성격도 **사 뭇** 다르다. ⇨ ㉢

도움말▲ 글 상자 속 낱말 대신에 [보기]의 뜻을 넣어 가며 낱말의 뜻을 찾도록 하세요.

2 손녀는 할머니가 준 소중한 손수건을 **고 이** 간직했다. ⇨ ㉡

3 어머니를 보자 아이의 얼굴에 **비 로 소** 웃음꽃이 피었다. ⇨ ㉦

4 **무 심 코** 내뱉은 말이 상대방의 마음을 상하게 만들었다. ⇨ ㉣

5 따끈한 국밥을 보고 있자니 **불 현 듯** 부모님 생각이 났다. ⇨ ㉥

6 말을 하지 않으니, 그 녀석 마음을 **도 무 지** 알 수가 없다. ⇨ ㉠

7 노인은 추위에 떠는 아이에게 입고 있던 옷을 **선 뜻** 벗어 주었다. ⇨ ㉤

74

6 바꿔 쓸 수 있는 말 종사하다

✏️ 밑줄 친 낱말과 비슷한 뜻의 낱말에 ○표 하고, 알맞게 활용하여 써 보세요.

1 원님은 관군을 풀어 도적들을 쓸어버렸다. ⇨ 소지하다 (소탕하다)
늑 **소탕하였다**
도움말▲ '소지하다'는 '물건을 지니다.'라는 뜻이에요.

2 선생님은 수십 년 동안을 교직에 몸담았다. ⇨ (종사하다) 종속하다
늑 **종사하였다**

3 젊은 청년들이 나라를 지키기로 결심하였다. ⇨ (결의하다) 결탁하다
늑 **결의하였다**
도움말▲ '결탁하다'는 '나쁜 일을 하려고 서로 짜다.'라는 뜻이에요.

4 영화가 준 감동을 나의 마음속에 아로새겼다. ⇨ (간직하다) 간추리다
늑 **간직하였다**

5 두 사람은 밤새도록 솔직한 대화를 나누었다. ⇨ 진부하다 (진술하다)
늑 **진솔한**
도움말▲ '진부하다'는 '낡아서 새롭지 못하다.'라는 뜻이에요.

6 언니는 자신보다 열 살 많은 남자를 그리워한다. ⇨ (사모하다) 사소하다
늑 **사모한다**
도움말▲ '사소하다'는 '보잘것없이 작거나 적다.'라는 뜻이에요.

7 해결 방안을 두고 주민들의 의견이 서로 다르다. ⇨ (분분하다) 분주하다
늑 **분분하다**
도움말▲ '분주하다'는 바쁘다는 뜻이에요.

15일
월
일

75

7 뜻이 반대인 말 낯설다/익숙하다

✏️ 밑줄 친 낱말을 문장에 어울리도록 반대말로 고쳐 써 보세요.

1 처음 만난 사람들이라 그런지 <u>익숙하다</u>. ⇨ **낯 설 다**
도움말▲ 밑줄 친 낱말 대신에 반대말을 넣어 문장을 읽어 보도록 하세요.

2 <u>강대한</u> 나라는 다른 나라에게 괴로움을 당하기 쉽다. ⇨ **약 소 한**
약하고 작은

3 올해의 목표를 <u>실패한</u> 사원에게는 포상이 주어질 것이다. ⇨ **달 성 한**
목적한 것을 이룬

4 추석날이라 먹을 것이 <u>부족하다</u>. ⇨ **풍 성 하 다**
넉넉하고 많다.

5 평원이 끝도 없이 <u>협소하게</u> 펼쳐져 있다. ⇨ **광 활 하 게**
막힌 데가 없이 트이고 넓게

6 아버지가 <u>취직하자</u> 가족의 생계가 어려워졌다. ⇨ **사 직 하 자**
맡은 일을 내놓고 물러나자

7 장신구로 한껏 치장한 여자의 모습이 <u>소박하다</u>. ⇨ **화 려 하 다**
환하게 빛나며 곱고 아름답다.

8 이 작품이 독특하고 남다른 것은 <u>모방했기</u> 때문이다. ⇨ **창 조 했 기**
전에 없던 것을 처음으로 만들었기

76

8 뜻을 더하는 말 -관(觀)

> '-관(觀)'은 '생각'이나 '의견'의 의미를 더해 주는 말이에요.
>
> **관(觀)** → 가치관, 경제관, 예술관, 종교관 등
> 생각이나 의견

✏️ 밑줄 친 말을 하나의 낱말로 바꿔 써 보세요.

1 동양인과 서양인은 <u>대상에 대한 가치를 판단하는 기준</u>이 다르다. ⇨ **가치관**
도움말▲ 밑줄 친 말에서 핵심어를 찾고, 이에 '관(觀)'을 붙여 낱말을 만들어 보도록 하세요.

2 작가는 출판 기념회에서 <u>문학에 대해 가지고 있는 생각</u>을 밝혔다. ⇨ **문학관**

3 일본 정부는 조선 침략에 대한 <u>역사를 보는 관점</u>이 왜곡되어 있다. ⇨ **역사관**

4 경기를 부양하기 위한 두 학자의 <u>경제를 보는 입장</u>은 차이가 컸다. ⇨ **경제관**

5 그녀가 그와 결혼을 결심한 것은 <u>종교에 대한 의견</u>이 맞았기 때문이다. ⇨ **종교관**

6 유명한 미술가들은 자신만의 <u>예술의 목적, 가치 등에 대한 생각</u>을 가지고 있다. ⇨ **예술관**

7 우리는 국민으로서 지녀야 할 <u>국가의 목적, 의의 등에 대해 가지는 생각</u>에 대해 토론하였다. ⇨ **국가관**

15일
월
일

77

9 모양을 흉내 내는 말 조마조마

✏️ 빈칸에 알맞은 낱말을 [보기]에서 찾아 써 보세요.

[보기]

| 노릇노릇 | 대굴대굴 | 바락바락 | 번질번질 |
| 조마조마 | 흘깃흘깃 | 흥얼흥얼 | |

도움말 ▲ [보기]에 주어진 낱말들은 자주 쓰이는 것이므로, 잘 익혀 두도록 해요.

❶ 공이 계단 아래로 대굴대굴 굴러 내려간다.
　　　작은 물건이 계속 구르는 모양

❷ 그는 번질번질 윤이 나도록 가구를 닦았다.
　　　거죽이 윤기가 흐르고 매우 미끄러운 모양

❸ 불판 위의 고기가 노릇노릇 맛있게 익어 간다.
　　　군데군데 노르스름한 모양

❹ 내 행동에 트집을 잡는 형에게 바락바락 대들었다.
　　　　　　화가 나서 잇따라 기를 쓰거나 소리를 지르는 모양

❺ 술래가 다가오자 아이들은 조마조마 마음을 졸였다.
　　　　　닥쳐올 일에 대하여 마음이 초조하고 불안한 모양

❻ 동네 사람들이 그를 흘깃흘깃 보며 자기들끼리 속닥거렸다.
　　　　자꾸 가볍게 흘겨보는 모양

❼ 라디오에서 유행가가 흘러나오자, 아이들이 흥얼흥얼 따라 불렀다.
　　　　　　흥에 겨워 입 속으로 노래를 부르는 모양

78

10 낱말 퀴즈

✏️ 문장에 섞여 있는 글자 카드의 순서를 바르게 하여 써 보세요.

❶ 그는 변명처럼 구 절 구 절 한 설명을 늘어놓았다.
도움말 ▲ '–하다'가 없이 '구구절절'만 쓰이면 '말 한 마디, 한 마디마다'라는 뜻으로 읽혀요.
⇨ 구 구 절 절 하다
　　사연이나 내용이 매우 자세하고 간절하다.

❷ 그들의 민낯이 만천하에 명 백 명 백 하게 드러났다.
⇨ 명 명 백 백 하다
　　의심할 여지가 없이 아주 뚜렷하다.

❸ 형은 부모님께 한 거짓말이 들통날까 봐 긍 전 전 긍 하고 있다.
⇨ 전 전 긍 긍 하다
　　마음을 졸이며 걱정하다.

❹ 이번 여행에서는 미 진 흥 진 한 일들이 많이 벌어질 것만 같다.
⇨ 흥 미 진 진 하다
　　넘쳐흐를 정도로 흥미가 매우 많다.

❺ 그는 퇴직한 후 시골에서 유 적 자 유 하며 전원생활을 즐기고 있다.
⇨ 유 유 자 적 하다
　　속세를 떠나 속박 없이 조용하고 편안히 살다.

❻ 동네 갑부는 매일같이 잔치를 벌여 희 락 희 낙 하는 것이 일이었다.
⇨ 희 희 낙 락 하다
　　매우 기뻐하고 즐거워하다.

79

11 [타교과 어휘] 사회

✏️ 빈칸에 알맞은 낱말을 써서 문장을 완성해 보세요.

❶ 오랜 전쟁 끝에 두 나라는 휴전 협 정 을 맺었다.
　　　중요한 문제에 대해 의논하여 결정한 약속
도움말 ▲ '협정'은 주로 나라 간에 맺는 약속이에요.

❷ 두 정상이 만나 대화하면서 남북한의 교 류 가 시작되었다.
　　　사람들이 연락하며 의견이나 물건을 주고받고 하는 것

❸ 수입하는 원 유 가격이 오르면 국내 휘발유 가격도 오른다.
　　땅속에서 뽑아내어 가공하지 아니한 그대로의 기름
도움말 ▲ '원유'를 가공하여 등유, 경유, 휘발유 등을 만들어요.

❹ 동남아는 물론 중동에서도 한 류 문화에 대한 열기가 뜨겁다.
　　우리나라의 대중문화가 외국에서 유행하는 현상

❺ 대통령은 나라의 발전을 위해 최선을 다하겠다고 서 약 을 했다.
　　　맹세나 약속하는 것

❻ 환경 오염을 줄이기 위해 시민 단체들이 모여 기 구 를 설립하였다.
　　　어떤 목적을 위하여 구성한 조직이나 기관
도움말 ▲ '기구'는 특히 공적인 일을 담당하는 기관이에요.

❼ 정부는 지진의 피해 현 황 을 파악하여 복구 사업을 시행하기로 했다.
　　　현재의 상황

❽ 세계 각국의 대표들이 회 담 을 갖고, 평화를 유지하기 위한 방안을 논의했다.
　　　문제와 관련된 사람들이 모여 하는 토의

80

✏️ 밑줄 친 말의 알맞은 뜻을 찾아 번호를 써 보세요.

❶ 전쟁을 피해 수많은 난민이 피난길에 오르고 있다.　(②)
　① 전쟁으로 인해 부상을 당한 사람
　② 전쟁, 재해 등으로 집이나 재산을 잃은 사람

❷ 오늘날에도 아프리카의 많은 아이들은 기아에 허덕이고 있다.　(①)
　① 먹을 것이 없어 굶주리는 것
　② 제때 치료를 받지 못해 병이 악화되는 것

❸ 국제 연합은 다른 말로 '유엔(UN)'이라고도 한다.　(①)
　① 세계 평화를 유지하고 전쟁을 막기 위해 만들어진 국제기관
　② 세계의 무역이 공평하고 자유롭게 이루어질 수 있도록 만든 국제기관
　도움말 ▲ ②는 '세계 무역 기구(WTO)'를 뜻하는 말이에요.

❹ 시민들은 공정하고 깨끗한 선거를 치르기 위해 캠페인을 벌였다.　(①)
　① 사회적 목적을 위해 조직적이고 지속적으로 행하는 운동
　② 이윤을 만들어 내기 위해 조직적이고 지속적으로 행하는 운동
　도움말 ▲ '캠페인'은 '계몽 운동', '홍보 활동' 등으로 순화해서 쓸 수 있어요.

❺ 이번에 모금한 성금은 이웃을 돕기 위한 구호 활동에 쓰일 것이다.　(②)
　① 가난한 사람에게 일정한 돈을 지원해 주는 활동
　② 재해나 재난 따위로 어려움에 처한 사람을 돕고 보호하는 활동

❻ 엔지오(NGO)는 민간단체가 중심이 되어 만들어진 비정부 기구이다.　(②)
　① 정부의 정책에 반대하는 개인들이 모인 조직
　② 뜻이 같은 개인들이 지구촌의 여러 문제를 해결하고자 활동하는 조직

81

1 뉴스의 특성

우리는 중요한 사건 또는 정보를 뉴스를 통해 접해요. 사건이나 정보가 뉴스로서의 가치를
지니려면 몇 가지 특성을 갖추어야 해요.

✎ 다음은 뉴스의 특성을 정리한 것입니다. 빈칸에 알맞은 낱말을 [보기]에서 찾아 써 보세요.

보기

| 근접성 | 시의성 | 영향성 | 예외성 | 저명성 |

도움말▲ [보기]는 뉴스의 다섯 가지 특성을 나열한 것이에요.

뉴스의 특성

- 얼마나 유명하고 권위가 있는 사람 또는 대상인가?
  도움말▲ 세상에 이름이 널리 드러나 있으면
  '저명하다'라고 해요.
  ⇨ 저명성

- 날마다 반복되지 않는 예외적인 정보나 사건인가?
  ⇨ 예외성

- 시간적으로 얼마나 빠르게 전달되는 정보나 사건인가?
  도움말▲ 당시의 사정이나 요구에 아주 알맞으면
  '시의적절하다'라고 해요.
  ⇨ 시의성

- 사회적으로 얼마나 큰 영향을 끼칠 수 있는 정보나 사건
  인가?
  ⇨ 영향성

- 듣거나 보는 사람들에게 지리적 · 심리적으로 얼마나 가
  까운 정보나 사건인가?
  ⇨ 근접성

84

2 주제별 어휘 1 뉴스

뉴스의 목적은 사실적 정보를 발 빠르고 신속하게 대중에게 전달하는 것이에요.

✎ 글 상자의 낱말을 따라 쓰고, 그에 알맞은 뜻을 찾아 번호를 써 보세요.

① 오후부터는 날이 갠다는 기상대의 예 보 가 있었다.   (①)

① 앞으로 일어날 일 등을 알리는 소식
② 앞으로 일어날 위험에 대비하도록 미리 알리는 신호

② 정치인들은 국민의 여 론 에 귀를 기울여야 한다.   (②)

① 좋아하거나 즐겨서 쏠리는 개개인의 마음
② 사회적인 일에 대한 대중의 공통된 의견이나 평
도움말▲ 개인의 의견은 여론이라고 하지 않아요. 개인의
의견이 모여 형성된 분위기 등을 여론이라고 해요.

③ 내일 신문에 사건 현장을 취 재 한 기사가 날 것이다.   (①)

① 신문이나 잡지에 실을 기사의 재료를 얻는 일
② 기사나 글을 모으고 정리하여 알맞게 짜 맞추는 것
도움말▲ ②는 '편집'에 해당하는 말이에요.

④ 뉴스 진행자는 오늘 일어난 화재 소식을 보 도 하였다.   (②)

① 어떤 사실을 덮어 감추고 숨기는 것
② 어떤 사실을 신문, 방송 매체를 통해 알리는 것

⑤ 방송국은 외국의 전쟁 상황을 알리기 위해 특 파 원 을 보냈다.   (①)

① 특별한 뉴스를 전하려고 외국으로 파견한 사람
② 나라를 대표하여 일정한 사명을 띠고 외국에 파견된 사람
도움말▲ ②는 '특사'의 의미에 좀 더 가까워요.

85

3 주제별 어휘 2 질병 예방

'질병'은 '몸에 생기는 온갖 병'을 이르는 말이에요. 질병은 병원체가 일으키는 감염성 질병
과 그 밖의 비감염성 질병으로 나뉘어요.

✎ 주어진 뜻을 보고 빈칸에 알맞은 낱말을 써 보세요.

감기나 ❶ 과 같은 질병을 일으키는 ❷ 를 병원체라고 해요. 우리는 생활 속
에서 병원체에 쉽게 노출될 수 있는데, ❸ 을 기르면 병원체가 우리 몸속에 들어
오더라도 힘을 쓰지 못하고 사라져요. 보통 병원체는 우리의 피부에 막혀 몸속으로
들어오지 못해요. 하지만 입이나 코를 통해 병원체가 침투하면 ❹ 될 수도 있어
요. 이를 예방하기 위해서는 평상시에 운동을 통해 체력을 기르고, 수시로 손을 깨
끗이 씻는 등의 개인의 ❺ 관리를 철저하게 할 필요가 있어요.

❶ 매우 독한 유행성 감기   ⇨ 독 감

❷ 세포에 기생하고, 세포 안에서 번식하는 작은 미생물   ⇨ 바 이 러 스
도움말▲ 바이러스와 세균이 일으키는 질병은 각각 달라
요. 바이러스는 독감, 코로나19와 같은 질병을 일으키는
데 반해, 세균은 식중독, 콜레라와 같은 질병을 일으켜요.

❸ 몸 밖에서 들어온 병균을 이겨 내는 몸의 힘   ⇨ 면 역 력

❹ 병균이 몸에 옮아서 병에 걸리는 것   ⇨ 감 염

❺ 건강에 해로운 요소를 없애고 건강을 보호하고 북
돋는 일   ⇨ 위 생

86

4 잘못 쓰기 쉬운 말 등굣길

합쳐진 말을 이루는 낱말 중 적어도 하나가 순우리말일 때는 사이시옷을 받치어 적어요.
단, 뒤에 된소리나 거센소리로 시작하는 말이 오면 사이시옷을 쓰지 않아요.

등교(登校) + 길 → 등굣길
한자어+순우리말   사이시옷 첨가

　　　　　　　　된소리
나무 + 꾼 → 나무꾼
순우리말+순우리말   사이시옷 ✕

✎ 다음 문장에서 알맞은 낱말을 찾아 ○표 하고, 바르게 써 보세요.

❶ 아낙네가 (내가 /냇가)에서 빨래를 한다.   ⇨ 냇가

❷ 산 (위쪽/ 윗쪽)을 향해 발걸음을 옮기다.   ⇨ 위쪽

❸ 동생은 매일 (아래집 /아랫집) 아이와 논다.   ⇨ 아랫집

❹ (전세집 /전셋집)을 구하려면 부동산에 가야 한다.   ⇨ 전셋집

❺ 사공이 (나루배 /나룻배)를 타고 강을 건너고 있다.   ⇨ 나룻배
　　　　강이나 내를 오가는 작은 배

❻ 수저통에 들어 있는 숟가락의 (개수/ 갯수)가 두 개뿐이다.   ⇨ 개수
도움말▲ '곳간 , 셋방, 숫자, 찻간, 툇간, 횟수'를 빼놓고,
한자어에는 사이시옷을 붙이지 않아요.

❼ 경쟁에서 이기려면 상대의 (허점/ 헛점)을 파고들어야 한다.   ⇨ 허점
　　　　불충분하거나 허술한 점
도움말▲ '허점(虛點)'은 한자어예요.

87

5 뜻이 반대인 말 최선/최악

✎ 다음 문장을 자연스럽게 고치려고 해요. 글자 박스 중 하나를 바꿔 반대말로 만들어 보세요.

1️⃣ 최 선 의 상황을 가정하고 대책을 세우자. ⇨ 최 악
가장 나쁨.

2️⃣ 여행을 갈 때에는 사 후 준비를 철저히 해야 한다. ⇨ 사 전
일을 시작하기 전

3️⃣ 철 새 는 일 년 내내 한 지역에서만 번식하고 산다. ⇨ 텃 새
자리를 옮기지 않고
한 지방에서 사는 새

4️⃣ 나는 원 시 때문에 항상 교실 앞자리에 앉는다. ⇨ 근 시
멀리 있는 것을 선명히
보지 못하는 시력

5️⃣ 체구가 작은 그는 중 량 급 에 속한다. ⇨ 경 량 급
가벼운 편에 속하는 체급

6️⃣ 부모의 과보호 속에서 자란 아이는 이 타 적 이다. ⇨ 이 기 적
자기의 이익만을 꾀하는 것

7️⃣ 계약에 따르면 임 차 인 은 월세를 지나치게 올릴 수 없다.
도움말▲ 계약에 따라 물건을 빌려준 사람을 '임대인',
물건을 빌린 사람은 '임차인'이라고 해요. ⇨ 임 대 인
돈을 받고 물건을 빌려준 사람

8️⃣ 단 거 리 운전을 할 때에는 틈틈이 휴식을 취하는 것이 좋다. ⇨ 장 거 리
먼 거리

88

6 합쳐진 말 등하교

두 낱말이 합쳐져 하나의 낱말을 이룰 때, 중복되는 글자가 생략되기도 해요.

등교 + 하교 → 등하교

✎ 주어진 낱말을 합쳐진 말로 바꿔 빈칸에 써 보세요.

1️⃣ 동양 + 서양
⇨ 사람이란 동서양 을 막론하고 다 같은 법이다.

2️⃣ 오월 + 유월
⇨ 오뉴월 땡볕에 농부들이 열심히 일을 하고 있다.
도움말▲ '오유월'로 적지 않고 '오뉴월'로 적는 것은 발음하기
쉽고 듣기 부드러운 소리가 되게 하기 위해서예요.

3️⃣ 오십 + 육십
⇨ 그 사내의 나이는 적어도 오륙십 세는 되어 보였다.

4️⃣ 관악기 + 현악기
⇨ 그는 관현악기 를 연주하는 사람들을 모아 오케스트라를 만들었다.

5️⃣ 장점 + 단점
⇨ 담임 선생님은 우리 반 아이들의 장단점 을 모두 파악하고 있었다.

89

7 행동을 당하는 말 배출되다

'-되'를 덧붙여서 남에게 행동을 당하는 낱말을 만들 수 있어요.

~을/를 배출하다 → ~이/가 배출되다

✎ 빈칸에 알맞은 낱말을 [보기]의 낱말 쌍에서 찾아 써 보세요.

> **보기**
> 배출하다 – 배출되다   수출하다 – 수출되다   생포하다 – 생포되다
> 입증하다 – 입증되다   제공하다 – 제공되다

1️⃣
— 사냥꾼이 여우를 생포하다 .
— 여우가 사냥꾼에게 생포되다 .

도움말▼ '~이/가 배출되다'와 같이
행동을 당하는 말 앞에는 '이/가' 붙는
다는 점에 주의하며 답을 찾아보세요.

2️⃣
— 공장의 폐수가 바다로 배출되다 .
— 공장의 폐수를 바다로 배출하다 .

3️⃣
— 경찰이 범죄 혐의를 입증하다 .
— 경찰에 의해 범죄 혐의가 입증되다 .

4️⃣
— 숙박 시설이 여행객들에게 제공되다 .
— 여행객들에게 숙박 시설을 제공하다 .

5️⃣
— 대한민국의 특산품이 해외로 수출되다 .
— 대한민국의 특산품을 해외로 수출하다 .

90

8 한자어 보호

✎ 빈칸에 알맞은 낱말을 쓰고, 이에 공통으로 쓰인 한자를 찾아 ○표 하세요.

1️⃣ 이 물건은 크기가 작아서 보 관 이 간편하다.
물건을 맡아서 간직하고 관리하는 것

규정상 학교는 보 건 시설을 갖추고 있어야 한다.
체육, 영양, 병의 예방과 치료 등으로 건강을 지키는 일

산림 보 호 를 위해 당분간 등산객의 입산을 금지할 계획이다.
잘 지켜 원래대로 보존되게 하는 것

도움말▲ 빈칸에 들어갈 낱말은 모두 '보'로 시작하는 낱말이에요.
① 報   ② 保   ③ 寶   ④ 佈
갚을 보   지킬 보   보배 보   도울 보

2️⃣ 양조장은 술을 제 조 하는 곳이다.
원료를 가공하여 물품을 만듦.

영화 규모가 커서 제 작 에 드는 비용이 만만치 않다.
기술을 들여 물건이나 작품을 만드는 일

도움말▲ 빈칸에 들어갈 낱말은 모두 '제'로 시작하는 낱말이에요.
① 制   ② 諸   ③ 製   ④ 齊
절제할 제   모두 제   지을 제   가지런할 제

3️⃣ 아버지는 어머니와 가사를 분 업 하신다.
일을 나누어서 함.

이사철을 맞아 여기저기 주택 분 양 광고가 넘쳐 난다.
토지나 건물 따위를 나누어 팖.

화재가 난 원인을 분 석 하여 잘잘못을 따질 필요가 있다.
내용을 하나하나 따져서 밝힘.

도움말▲ 빈칸에 들어갈 낱말은 모두 '분'으로 시작하는 낱말이에요.
① 分   ② 粉   ③ 坋   ④ 奮
나눌 분   가루 분   뿌릴 분   떨칠 분

91

9 외래어 표기 **핼러윈**

다음 문장에 알맞은 낱말을 찾아 ○표 하고, 바르게 써 보세요.

도움말 ▼ 외래어는 의미의 변화가 없다면 순화해서 사용하는 것이 좋아요.

① 노트르담 대성당은 프랑스 (**파리**/ 빠리)에 있다. ⇨ 파 리
　　　프랑스의 수도

도움말 ▲ [p, t, k]나 [b, d, g] 등은 된소리로 발음나더라도
된소리로 쓰지 않아요.

② 텔레비전 (**리모컨**/ 리모콘)을 찾아 방 안을 샅샅이 뒤졌다.
　　　멀리 떨어진 기기를 조종하는 장치
　　　⇨ 리 모 컨

③ (할로윈 /**핼러윈**) 축제를 맞아 분장한 사람들이 거리를 메웠다.
　　　괴상한 복장을 하고 즐기는 축제
　　　⇨ 핼 러 윈

④ 우리 모둠은 실험 결과를 바탕으로 (**리포트**/ 레포트)를 작성했다.
　　　조사, 연구, 실험의 결과에 관한 글이나 문서
　　　⇨ 리 포 트

⑤ 정부는 여론을 파악하기 위해 (**앙케트**/ 앙케이트)를 실시했다.
　　　설문 조사
　　　⇨ 앙 케 트

⑥ 이번 (페스티발 /**페스티벌**)에는 유명 인사들이 참석할 예정이다.
　　　축하하여 벌이는 큰 규모의 행사
　　　⇨ 페 스 티 벌

10 끝말잇기

빈칸에 알맞은 낱말을 넣어 끝말잇기를 완성해 보세요.

도움말 ▼ 알고 있는 낱말부터 써 보면, 끝말잇기를 완성하기 쉬워요.

공 동 체 　가정은 부모와 자녀가 모여 이룬 ☐ ☐ 이다.
　　　　　　생활이나 행동 또는 목적 따위를 같이하는 집단

체 결 　긴 협상 끝에 두 회사는 계약을 ☐ ☐ 하였다.
　　　　계약이나 조약 따위를 공식적으로 맺음.

결 심 　선수들은 올림픽에서 금메달을 따겠다고 ☐ ☐ 을 했다.
　　　　마음을 굳게 정함.

심 각 성 　우리는 답사를 통해 환경 오염의 ☐ ☐ ☐ 을 알 수 있었다.
　　　　　심각한 상태를 띤 성질

성 균 관 　☐ ☐ ☐ 은 오늘날의 국립 대학과 비슷하다.
　　　　　조선 시대에 유교 교육을 맡았던 최고의 국립 교육 기관

관 점 　☐ ☐ 에 따라 같은 사건이 다르게 해석될 수 있다.
　　　대상을 보거나 생각하는 개인의 입장이나 방법

점 유 　우리 회사는 국내 자동차 시장을 ☐ ☐ 했다.
　　　물건이나 영역, 지위 따위를 차지함.

유 엔 　자연재해로 피해를 입은 지역에 ☐ ☐ 의 구호품이 전달되었다.
　　　세계 평화를 유지하기 위해 만들어진 국제기관

도움말 ▲ '유엔'을 가리켜 '국제 연합'이라고도 불러요.

11 타교과 어휘 **과학**

주어진 뜻을 보고, 빈칸에 알맞은 말을 써 보세요.

　① 는 생물과 비생물로 구성된다. 생물 요소는 식물인 ② , 동물인 ③
및 자연계의 청소부 역할을 하는 ④ 로 구분이 된다. 이들은 먹고 먹히는
⑤ 로 얽혀 있다. 비생물 요소로는 태양으로부터 지구로 유입되는 빛 에너지, 산
소와 이산화탄소를 포함한 수증기 등으로 이루어진 대기, 그리고 생물들의 ⑥ 가
되는 토양 등이 있다.

① 생물들이 서로 관계를 맺으며 조화를 이루는 자연
　　의 세계　　　　　　　　　　　　　　생 태 계

② 살아가는 데 필요한 양분을 스스로 만드는 생물 ⇨ 생 산 자

③ 다른 생물을 먹이로 하여 살아가는 생물 ⇨ 소 비 자

④ 죽은 생물이나 배출물을 분해하여 양분을 얻는 생물 ⇨ 분 해 자

⑤ 생물 간의 먹이 관계가 연결되어 있는 것 ⇨ 먹 이 사 슬

⑥ 생물 따위가 일정한 곳에 자리를 잡고 사는 곳 ⇨ 서 식 지

괄호 안의 알맞은 표현을 찾아 ○표 하고, 직접 써 보세요.

① 햇볕이 강하여 (지상면 /**지표면**)이 뜨거워졌다. ⇨ 지표면
　　　　　　　　땅의 거죽

② 원기둥의 (수평도 /**평면도**)를 그리면 원이 된다. ⇨ 평면도
　　　대상을 수평 방향으로 잘라 위에서 보고 그린 도면

③ 지구는 하루에 한 번을 주기로 (공전 /**자전**)한다. ⇨ 자전
　　　　　　　천체가 스스로 고정된 축을 중심으로 회전함.
　　도움말 ▲ '공전'은 한 천체가 다른 천체의 둘레를
　　일정하게 도는 것을 말해요.

④ 인공위성은 지구의 (**궤도**/ 귀로)를 따라 돌고 있다. ⇨ 궤도
　　　　　사물이 따라서 움직이도록 정해진 길

⑤ 그가 학계에 제시한 (**가설**/ 정설)은 20년 만에 증명되었다. ⇨ 가설
　　　　　　　어떤 사실을 설명하기 위해 임시로 만든 가정
　　도움말 ▲ '정설'은 결론에 도달하여 이미 확정하거나
　　인정한 이론을 말해요.

⑥ 태양의 (각도 /**고도**)는 춘분이 지나면서부터 점점 높아진다. ⇨ 고도
　　　　　천체가 지평선이나 수평선과 이루는 각

⑦ 연소가 되려면 온도가 (**발화점**/ 소화점) 이상이 되어야 한다. ⇨ 발화점
　　　　　　어떤 물질이 불이 붙어 타기 시작하는 온도

7장 글 고쳐 쓰기

📖 국어 교과서 272~295쪽

1 꾸며 주는 말 만약

✏️ 밑줄 친 부분에 주의하며 빈칸에 알맞은 낱말을 [보기]에서 찾아 써 보세요.

보기
| 결코 | 과연 | 만약 | 설마 | 아마 | 차마 |

① 저 얘기는 **아마** 열 번도 더 <u>했을 것이다.</u>
확실하게 말하기는 어렵지만

② 가난한 것은 **결코** <u>부끄러운 것이 아니다.</u>
어떤 일이 있어도 절대로

③ **과연** 민수가 영희의 사과를 <u>순순히 받아 줄까?</u>
결과에 있어서도 참으로

④ 이번 여행에 **설마** 나를 <u>빼놓고 가지는 않겠지?</u>
그럴 리는 없겠지만

⑤ 영화 속 무서운 장면을 **차마** <u>눈 뜨고 볼 수가 없었다.</u>
아무리 해도

⑥ **만약** 나에게 기회가 <u>온다면</u>, 절대로 놓치지 않을 것이다.
만일

💡 도움말 ▲ 뜻을 외우기보다는 문장을 통해 자연스럽게 의미를 익히는 것이 중요해요.

알아두기
꾸며 주는 말 중에서 특정한 서술어와 주로 어울려 쓰이는 것들이 있어요.
• 과연 ~ 할까   • 차마 ~ 없다   • 만약 ~ 한다면
• 설마 ~ 할까   • 아마 ~ 할 것이다   • 결코 ~ 아니다(없다)

98

2 모양을 흉내 내는 말 푸석푸석

✏️ 밑줄 친 낱말을 고쳐 쓰기에 알맞은 낱말을 [보기]에서 찾아 써 보세요.

보기
| 또박또박 | 번지르르 | 산들산들 | 아삭아삭 |
| 오들오들 | 파릇파릇 | 푸석푸석 | |

20일
월
일

① 나는 선생님의 물음에 <u>저릿저릿</u> 대답했다.
💡 도움말 ▲ '저릿저릿'은 모양이 아니라 느낌을 나타내는 말이므로 어울리지 않아요.
➡️ **또박또박**
말이나 글씨 등이 조리 있고 또렷한 모양

② 그는 사과를 한 입 베어 <u>바삭바삭</u> 씹어 먹었다.
➡️ **아삭아삭**
과일이나 채소 등을 베어 물 때 나는 소리

③ 누군가 다가오는 소리에 몸을 <u>건들건들</u> 떨었다.
💡 도움말 ▲ '건들건들'은 태도가 착실하지 못하고 멋없게 구는 모양을 나타내는 말이에요.
➡️ **오들오들**
춥거나 무서워서 몸을 심하게 떠는 모양

④ 봄이 되면 산과 들에 <u>삐죽삐죽</u> 풀이 돋아난다.
➡️ **파릇파릇**
군데군데 파르스름한 모양

⑤ 며칠 잠을 못 잤더니 얼굴이 <u>보들보들</u> 건조해 보인다.
➡️ **푸석푸석**
살이 부어오른 듯하고 거친 모양

⑥ 솔솔 불어오는 바람에 나뭇가지가 <u>후들후들</u> 흔들렸다.
➡️ **산들산들**
바람에 물건이 가볍게 흔들리는 모양

⑦ 기름진 음식을 먹었더니 얼굴에 기름기가 <u>주룩주룩</u> 흐른다.
💡 도움말 ▲ '주룩주룩'은 굵은 물줄기나 빗방울이 흐르거나 내릴 때 쓰는 말이에요.
➡️ **번지르르**
기름기가 묻어 윤이 나고 미끄러운 모양

99

3 주제별 어휘 증세

병을 앓게 되면 그에 따른 증세가 나타나게 돼요. 겉으로 드러나는 증세를 보고 의사나 약사 등의 전문가가 진단하고 처방을 내리지요.

✏️ 빈칸에 알맞은 낱말을 주어진 글자 카드로 만들어 써 보세요.

| 경 | 구 | 련 | 빈 | 토 | 혈 |

① 신체가 허약해지면 **빈 혈** 증상이 나타나기 쉽다.
핏속에 적혈구나 혈색소가 줄어든 상태

② 급식을 먹은 아이들이 집단으로 **구 토** 증세를 보였다.
먹은 음식물을 토함.

③ 카페인을 너무 많이 섭취하면 일시적인 **경 련** 이 일어날 수 있다.
근육이 이유 없이 수축하거나 떨리는 현상

| 마 | 발 | 비 | 오 | 작 | 한 |

④ 감기 몸살이 올 때에는 미열과 **오 한** 이 생기곤 한다.
몸이 오슬오슬 춥고 떨리는 증상

⑤ 베토벤은 청각이 **마 비** 되었지만, 작곡에 더욱 전념하였다.
신경이나 근육이 형태의 변화 없이 기능을 잃어버리는 일

⑥ 병을 앓고 있던 아이는 갑자기 부르르 떨며 **발 작** 하기 시작했다.
병의 증세나 부정적인 움직임 등이 갑자기 세차게 일어남.

100

4 잘못 쓰기 쉬운 말 앳되다

✏️ 다음 문장에 알맞은 낱말에 ○표 하고, 바르게 써 보세요.

① 어머니는 쌀 한 (**움큼**/ 웅큼)으로 밥을 지었다.
손으로 한 줌 움켜쥘 만한 분량을 세는 단위
💡 도움말 ▲ '한 줌 분량'이므로 '웅큼'이 아니라 '움큼'이라고 기억하면 쉬워요.
➡️ **움 큼**

20일
월
일

② 그녀의 (애띤 /**앳된**) 얼굴에 모두 화들짝 놀랐다.
애티가 있어 어려 보이는
➡️ **앳 된**

③ 형은 (**밤새**/ 밤세) 공부를 하느라 한숨도 못 잤다.
밤이 지나는 동안. 밤사이
➡️ **밤 새**

④ 우리에게 구체적인 (사례 /**사례**)를 제시해 주십시오.
어떤 일이 전에 실제로 일어난 예
➡️ **사 례**

⑤ 음식점에서 (맛배기 /**맛보기**) 행사가 펼쳐진다.
맛을 보도록 조금 내놓은 음식
➡️ **맛 보 기**

⑥ 아버지는 왕년에 (한가닥 /**한가락**) 하던 재주꾼이었다.
어떤 방면에서 썩 훌륭한 재주나 솜씨
➡️ **한 가 락**

⑦ 40대 (뇌졸증 /**뇌졸중**) 환자가 급속하게 늘어나고 있다.
뇌에 혈관이 막혀 의식을 잃고 몸에 장애가 생기는 증상
➡️ **뇌 졸 중**

101

5 바꿔 쓸 수 있는 말 거르다

✏️ 밑줄 친 낱말의 기본형을 쓰고, 그와 바꿔 쓸 수 있는 낱말을 [보기]에서 찾아 써 보세요.

> **보기**
>
> 거르다   교정하다   막대하다   신선하다   원활하다   지속되다

1 오늘따라 출근 시간에 교통의 흐름이 순조롭다.

➡️ 순조롭다 ≒ 원활하다

┗ 일 따위가 아무 탈이나 말썽 없이 예정대로 잘되어 가다.

> **도움말▲** 비슷한 뜻을 가진 낱말이라고 해서 언제나 바꿔 쓸 수 있는 것은 아니에요. 문장에서의 쓰임에 따라 바꿔 쓸 수 있는 말이 달라질 수 있어요.

2 늦잠을 자서 아침을 건너뛰고 학교에 갔다.

➡️ 건너뛰다 ≒ 거르다

┗ 한 차례를 빼고 지나가다.

3 두 학교 간의 교류는 십여 년 동안 유지되었다.

➡️ 유지되다 ≒ 지속되다

┗ 변함없이 계속되다.

4 바다에서 갓 잡아 올린 생선이 무척 싱싱해 보인다.

➡️ 싱싱하다 ≒ 신선하다

┗ 시들거나 상하지 아니하고 생기가 있다.

5 선생님은 곧 출간할 자서전의 원고를 수정하고 있다.

➡️ 수정하다 ≒ 교정하다

┗ 고치어 정돈하다.

6 이번 전염병으로 인해 경제에 엄청난 피해가 예상된다.

➡️ 엄청나다 ≒ 막대하다

┗ 짐작이나 생각보다 정도가 아주 심하다.

102

6 한자어 복(復), 투(投), 염(炎)

✏️ 밑줄 친 낱말들 중 주어진 한자가 쓰이지 않은 것을 찾아 ✔표 하세요.

1 復 돌아올 복

- ☐ 정부는 훼손된 문화재를 복원하기로 결정하였다.
  원래대로 회복함.
- ☐ 휴가 나왔던 삼촌은 부대로 복귀하였다.
  떠났다가 원래의 자리로 되돌아옴.
- ✔ 영화, 음악 등을 불법으로 복제하는 것은 범죄이다.
  본래의 것과 똑같이 만듦.
- ☐ 잠시 휴학했던 언니는 이번 학기에 복학하기로 하였다.
  학교를 떠나 있던 학생이 다시 학교에 나감.

> **도움말▲** '돌아오다' 또는 '되돌리다'는 의미가 아닌 것을 찾으면 돼요.

> **도움말▼** 선거에서 투표하다는 것을 '표를 던지다'라고도 표현해요.

2 投 던질 투

- ☐ 투표는 국민이 정치에 참여하는 방법 중 하나이다.
  선거를 할 때 자기 의사를 표시하여 내는 일
- ✔ 요즘 학생들은 어려움을 극복하려는 투지가 부족하다.
  어려움에 맞서려는 굳센 마음
- ☐ 환자에게 치료제를 투약하자 곧바로 효과가 나타났다.
  약을 지어 주거나 씀.
- ☐ 우리 기업은 금융 산업에 막대한 자금을 투자하기로 했다.
  이익을 얻으려고 미리 돈을 들이는 일

> **도움말▼** 생체 조직이 손상되다는 뜻의 '염증'과 내키지 않거나 싫어하는 마음을 뜻하는 '염증'은 동형어예요.

3 炎 불탈 염

- ✔ 지루한 분위기에 염증이 나서 자리를 옮겼다.
  내키지 않거나 싫어하는 마음
- ☐ 심한 감기는 폐렴으로 발전할 가능성이 있다.
  폐에 생기는 염증
- ☐ 한동안 일에 신경을 많이 써서 그런지 위염이 도졌다.
  위에 생기는 염증
- ☐ 음식을 제대로 익혀 먹지 않으면 장염에 걸릴 수 있다.
  장에 생기는 염증

103

7 올바른 발음 인류[일류], 달님[달림]

'ㄴ'이 앞이나 뒤에 오는 'ㄹ'의 영향을 받으면, 'ㄹ'로 바뀌어 소리 나요.

인류 → [일류]   달님 → [달림]
ㄴ 'ㄹ' 뒤에 'ㄹ'이 올 때   ㄴ 'ㄹ' 앞에 'ㄴ'이 올 때

✏️ 밑줄 친 낱말의 알맞은 발음을 찾아 ○표 하세요.

1 어둠 속에서 칼날이 반뜻 빛났다.   ➡️ [칼날]   (칼랄)

> **도움말▲** 앞의 받침 'ㄹ'의 영향을 받아 'ㄴ'이 'ㄹ'이 되었어요.

2 이 탑은 신라 시대에 만든 것이다.   ➡️ [신라]   (실라)

> **도움말▲** 뒤에 오는 'ㄹ'의 영향을 받아 앞의 받침 'ㄴ'이 'ㄹ'이 되었어요.

3 올해의 생산량이 작년보다 두 배나 늘었다.   ➡️ (생산냥)   [생살량]

4 그녀가 집을 나서려던 찰나 전화가 걸려 왔다.   ➡️ [찰나]   (찰라)
    ┗ 어떤 일이 일어나는 바로 그때

5 어미와 헤어진 강아지가 낑낑 앓는 소리를 낸다.   ➡️ (알른)   [알는]

6 끓는 물에 데친 채소에 갖은 양념을 넣고 버무렸다.   ➡️ (끌른)   [끓른]

> **알아두기** 한자어에 '란, 량, 력, 례, 령' 등이 덧붙은 낱말은 예외적으로 'ㄹ'을 'ㄴ ㄴ'으로 발음해요.
> • 의견란 → [의견난]   • 생산력 → [생산녁]

104

8 뜻이 반대인 말 부/불(不)-

부정의 뜻을 나타내는 한자 '不'은 '부'와 '불' 두 가지 소리를 가지고 있어요. 뒤에 오는 낱말의 첫 자음이 'ㄷ'이나 'ㅈ'일 때는 '부-'로, 그 밖의 경우는 '불-'로 읽고 적어요.

불(不) + 작용 → 부작용   불(不) + 균형 → 불균형
ㄴ 'ㅈ'이므로   ㄴ 'ㄷ, ㅈ'이 아니므로

✏️ 빈칸에 알맞은 낱말을 써서 문장을 완성해 보세요.

1 상대편에게만 작전 시간을 주는 것은 | 불 | 공 | 평 | 하다.
    ┗ 한쪽으로 치우쳐 고르지 못함.

2 주변 경관과 | 부 | 조 | 화 | 한 고층 건물이 눈에 거슬렸다.
    ┗ 서로 잘 어울리지 아니함.

> **도움말▲** 뒤에 오는 글자의 초성이 'ㅈ'이므로 앞에 붙는 '不'이 '부'가 되었어요.

3 발음이 | 부 | 정 | 확 | 하면 다른 사람이 알아듣기가 어렵다.
    ┗ 바르지 아니하거나 확실하지 아니함.

4 | 불 | 규 | 칙 | 한 식습관은 위장 장애를 불러일으킬 수 있다.
    ┗ 규칙에서 벗어나 있음.

5 지구는 인간이 살기에 | 부 | 적 | 합 | 한 곳이 되어 가고 있다.
    ┗ 일이나 조건 따위에 꼭 알맞지 아니함.

6 말과 행동이 | 불 | 일 | 치 | 하면 사람들에게 신뢰를 주기 힘들다.
    ┗ 의견이나 생각이 서로 어긋나서 맞지 아니함.

7 그는 자신의 실수로 | 불 | 이 | 익 | 을 당하지 않을까 걱정하고 있다.
    ┗ 이익이 되지 아니하고 손해가 되는 데가 있음.

105

9 띄어쓰기 없다

'없다'는 하나의 낱말이므로 앞말과 띄어 써야 하지만, 앞말과 붙어 하나의 낱말이 된 경우에는 붙여 쓰도록 해요.

눈치✔없다　　　어이없다
　　　　　　　　하나의 낱말이 됨.

다음 문장을 주어진 횟수에 따라 바르게 띄어 써 보세요.

1 이것은진짜와다름없다. (2회)

| 이 | 것 | 은 | | 진 | 짜 | 와 | | 다 | 름 | 없 | 다 | . |

2 내말을듣지않으면재미없다. (4회)

| 내 | | 말 | 을 | | 듣 | 지 | | 않 | 으 | 면 | | 재 |
| 미 | 없 | 다 | . |

3 우리는틀림없이이길것이다. (3회)

| 우 | 리 | 는 | | 틀 | 림 | 없 | 이 | | 이 | 길 | | 것 |
| 이 | 다 | . |

4 몹쓸병에는어떤약도소용없다. (4회)

| 몹 | 쓸 | | 병 | 에 | 는 | | 어 | 떤 | | 약 | 도 |
| 소 | 용 | 없 | 다 | . |

도움말 ▲ '다름없다', '재미없다', '틀림없다', '소용없다'가
한 낱말이라는 것을 기억하도록 하세요.

106

---

10 낱말 퀴즈

주어진 뜻을 참고하여 빈칸에 알맞은 글자를 써 보세요.

1 ㉠ 하루하루의 끼니
ㄴ 나라 일을 하는 데 드는 비용을 국민이나 단체에게 걷는 돈

| | 세 | 끼 |
| 금 |

 22일
월
일

2 ㄷ 격이 낮고 속된 말
ㄹ 특수한 집단에서 자기네들끼리만 쓰는 말
도움말 ▲ 비속어는 표현이 저속하지만 표준어로 인정되어 사전에 실려 있어요. 은어는 특수 집단에서만 사용하는 말이므로 사전에 실리지 않아요.

| | | 은 |
| 비 | 속 | 어 |

3 ㅁ 생명을 위협하는. 또는 그런 것
ㅂ 딱 잘라서 판단하고 결정하는. 또는 그런 것

	단
	정
치	명	적

4 ㅅ 다음 세대에게 계승할 만한 가치를 지닌 문화재나 문화 양식
ㅇ 상품이 유통될 수 있는 정해진 시기

문	화	유	산
		통
		기
		한

107

---

11 (타교과 어휘) 도덕

빈칸에 알맞은 낱말을 [보기]에서 찾아 써 보세요.

보기
기구　번영　신뢰　제도　편익　편찬　합작

1 현대인들은 기술의 발달로 많은 **편익** 을 얻었다.
편리함과 유익

2 부도덕한 행위를 한 지도자는 국민의 **신뢰** 를 잃는다.
굳센 믿음

3 국어사전을 **편찬** 하는 데는 많은 시간과 노력이 필요하다.
여러 가지 자료를 모아 체계적으로 정리하여 책을 만듦.

4 우리 민족의 **번영** 과 인류의 평화를 위해 국토는 통일되어야 한다.
경제 활동이 활발하여 물질적으로 풍성하게 되는 것

5 이 회사는 외국 기업과 **합작** 하여 현재의 위기를 극복하기로 하였다.
기업을 운영하는 일을 여럿이 힘을 합하여 함.
도움말 ▲ '합작'은 기본적으로 어떠한 것을 만들기 위해 힘을 합한다는 의미가 있어요.

6 우리나라는 모든 국민을 대상으로 한 건강 보험 **제도** 를 마련하였다.
한 사회나 기관을 유지하는 데 필요한 원칙과 규범

7 기후 변화에 대응하기 위해 각 나라 정상들은 **기구** 를 설립하는 데 합의하였다.
어떤 목적을 위하여 구성한 조직이나 기관

108

카드를 왼쪽에서 하나, 오른쪽에서 하나씩 꺼내 문장에 들어갈 말을 만들어 써 보세요.

노동	재외		무역	환경	동포
비무장	공정	인종		관계	협정
휴전	대인		차별	지대

22일
월
일

1 그 사람은 성격이 좋아 **대인** **관계** 가 원만하다.
사람을 대하고 사귀는 일

2 오랜 전쟁 끝에 두 나라는 **휴전** **협정** 을 맺었다.
전쟁을 얼마간 멈추기로 한 정식 약속

3 **재외** **동포** 들도 불우 이웃 돕기 성금을 보내 주었다.
국외에 거주하는 우리 민족

4 **비무장** **지대** 에는 아직 제거되지 않은 지뢰가 많이 남아 있다.
군사 시설이나 인원을 배치해 놓지 않은 곳을 통틀어 이르는 말

5 노동자들은 경영자에게 **노동** **환경** 을 개선할 것을 요구하였다.
노동자가 일하는 직장의 작업 환경

6 세계 곳곳에서 **인종** **차별** 을 없애기 위한 노력이 계속되고 있다.
인종에 따라 사람을 높게 또는 낮게 대우하는 것

7 그 가게에서는 **공정** **무역** 으로 들여온 질 좋은 커피를 싼 가격에 판매한다.
상호 간의 혜택이 동등한 가운데 이루어지는 무역
도움말 ▲ '공정 무역'은 후진국의 생산자에게 보다 유리한 무역 조건을 제공하는 무역 형태를 말해요.

109

8장 작품으로 경험하기

국어 교과서 296~321쪽

1 주제별 어휘 1 오대양, 육대주

세계는 크게 다섯 개의 큰 바다와 여섯 개의 큰 대륙으로 나눌 수 있어요. 이 때문에 세계를 가리킬 때 '오대양, 육대주'라고 해요.

도움말 ▲ 오대양은 태평양, 대서양, 인도양, 남극해, 북극해를 말해요.
육대주는 아시아, 아프리카, 유럽, 오세아니아, 남아메리카, 북아메리카를 말해요.

다음 설명에 알맞은 낱말을 그림에서 찾아 써 보세요.

① 아메리카와 유럽 사이에 있는 넓은 바다 ⇨ 대서양

② '북미'라고 하여, 멕시코, 미국, 캐나다 등이 속한 대륙 ⇨ 북아메리카

③ 오스트레일리아를 비롯해 뉴질랜드, 사모아 등의 섬들이 속해 있는 대륙 ⇨ 오세아니아

④ 한국, 중국, 인도, 시베리아, 아라비아 등이 속한 세계에서 가장 큰 대륙 ⇨ 아시아

⑤ 아시아, 아메리카, 오스트레일리아의 세 대륙에 둘러싸여 있는 세계에서 가장 큰 바다 ⇨ 태평양

112

2 주제별 어휘 2 상단

옛날에는 다른 나라와 규모가 큰 물품을 거래할 때, 개인이 담당하기 어려웠기 때문에 상인 조직인 상단이 이에 관한 전반적인 업무를 담당했어요.

23일
월
일

글 상자의 낱말을 따라 써 보고, 그에 알맞은 뜻을 찾아 번호를 써 보세요.

① 세계 각국은 무역 을 통해 서로 재화를 교환한다. (①)
　① 나라와 나라 사이에 서로 물품을 매매하는 일
　② 사람을 태워 보내거나 물건 따위를 실어 보내는 일
　도움말 ▲ ②는 '운송'을 뜻하는 말이에요.

② 전국에서 온 상인들이 객주 에 모여들어 북적거렸다. (①)
　① 상인들의 물건을 맡아 팔던 일을 하던 집
　② 길가에서 밥과 술을 팔고, 돈을 받고 나그네를 묵게 하는 집
　도움말 ▲ ②는 '주막'을 뜻하는 말이에요.

③ 보부상 은 물건을 팔기 위해 전국 방방곡곡을 누볐다. (①)
　① 봇짐장수와 등짐장수를 통틀어 이르는 말
　② 밑천을 많이 가지고 장사를 크게 하는 상인
　도움말 ▲ ②는 '거상'을 뜻하는 말이에요.

④ 가게 주인은 물건의 거래 내용을 장부 에 꼼꼼히 적어 두었다. (②)
　① 필요할 때 쓰기 위한 대책이나 방책 등을 적어 두는 책
　② 물건의 판매 내역이나 수입과 지출에 대한 계산을 적어 두는 책

⑤ 복덕방은 집이나 땅 등을 사고파는 일에 대한 중개 를 담당한다. (①)
　① 제삼자로서 두 당사자 사이에서 일을 주선하는 것
　② 제삼자로서 남의 이익을 위하여 변명하고 감싸서 도와주는 것
　도움말 ▲ ②는 '변호'를 뜻하는 말이에요.

⑥ 고대에는 동서 교역로 인 비단길을 통해 물건을 거래했다. (②)
　① 여러 가지 상품을 사고파는 일정한 장소
　② 상인이 물건을 사고팔고 바꾸기 위하여 지나다니는 길
　도움말 ▲ ①은 '시장'을 뜻하는 말이에요.

113

3 상태를 나타내는 말 경이롭다

빈칸에 알맞은 낱말을 [보기]에서 찾아 써 보세요.

보기

경이롭다　　정갈하다　　진귀하다　　초라하다

①  선비의 차림새가 초라하다 .
　　허술하고 볼품없다.

②  나무의 생명력이 경이롭다 .
　　놀랍고 신기한 데가 있다.

③  산삼과 같은 약초는 진귀하다 .
　　보배롭고 보기 드물게 귀하다.

④  어머니가 만든 음식이 정갈하다 .
　　깨끗하고 깔끔하다.

114

4 헷갈리기 쉬운 말 늘이다/늘리다

주어진 설명을 참고하여 문장에 어울리는 낱말을 찾아 ○표 하세요.

23일
월
일

늘이다	길게 하다. 아래로 처지게 하다.
늘리다	세력이나 양 따위를 많게 하다. 팽창시키다.

도움말 ▲ 길이를 길게 할 때는 '늘이다', 양을 많게 할 때는 '늘리다'로 써요.

① 고무줄의 양쪽 끝을 잡고 길게 ((늘였다) / 늘렸다).

② 선발 인원을 두 배에서 세 배로 (늘였다 / (늘렸다)).

이따가	조금 뒤에
있다가	존재하다가, 소지(소유)하다가

③ 돈은 (이따가도 / (있다가도)) 없는 법이다.

④ 자세한 건 ((이따가) / 있다가) 만나서 이야기하자.

닫치다	꼭꼭 또는 세게 닫다.
닫히다	'닫다'의 당하는 말. 닫아지다

⑤ 집을 나오면서, 문을 힘껏 ((닫쳤다) / 닫혔다).

⑥ 문이 갑자기 (닫쳐서 / (닫혀서)) 손을 다치고 말았다.

그슬리다	불에 겉만 약간 타다.
그을리다	햇볕이나 연기 따위를 오래 쬐어 검게 되다.

도움말 ▲ '그슬리다'는 '그슬다'의, '그을리다'는 '그을다'의 행동을 당하는 표현이에요.

⑦ 과학 시간에 실험을 하다가 머리카락을 살짝 ((그슬렸다) / 그을렸다).

⑧ 들판에는 까맣게 ((그을린) / 그슬린) 농부들이 바쁘게 일을 하고 있다.

115

5 바꿔 쓸 수 있는 말 나열하다

✏️ 밑줄 친 낱말의 기본형을 쓰고, 바꿔 쓸 수 있는 낱말을 [보기]에서 찾아 써 보세요.

보기

| 급박하다 | 나열하다 | 반색하다 | 수집하다 | 파다하다 | 회상하다 |

❶ 아버지의 취미는 우표를 <u>모으는</u> 것이다.

➡️ 모으다 ≒ 수집하다

❷ 경찰은 범인의 범죄 혐의를 쭉 <u>늘어놓았다</u>.

➡️ 늘어놓다 ≒ 나열하다

❸ 상황이 <u>위급할</u> 때는 주위 사람들에게 도움을 요청해라.

➡️ 위급하다 ≒ 급박하다

❹ 시인은 자신의 지난날을 <u>돌아보며</u> 앞으로의 각오를 다졌다.

➡️ 돌아보다 ≒ 회상하다

> **도움말▲** '회상하다'는 '지난날을 돌이켜 생각하다.'라는 의미를 가지고 있어요.

❺ 할머니는 외손자가 놀러 왔다는 소식에 <u>반가워하며</u> 마중을 나갔다.

➡️ 반가워하다 ≒ 반색하다

❻ 공장에서 남몰래 폐수를 흘려 보낸다는 등 이러저러한 소문이 <u>수두룩했다</u>. _{매우 많고 흔했다.}

➡️ 수두룩하다 ≒ 파다하다

116

---

6 모양을 흉내 내는 말 반들반들

✏️ 밑줄 친 부분의 글자 순서를 바르게 고쳐 써 보세요.

❶ 고드름이 처마 밑에 <u>당간간당</u> 매달려 있다. _{달려 있는 작은 물체가 자꾸 가볍게 흔들리는 모양}

➡️ 간당간당

❷ 책상 위의 책들이 <u>박뒤죽죽</u> 흐트러져 있다. _{여럿이 마구 뒤섞여 엉망이 된 모양}

➡️ 뒤죽박죽

❸ 봄이 되니 괜스레 <u>숭숭싱생</u> 마음이 들뜬다. _{마음이 안정되지 않고 들뜬 모양}

➡️ 싱숭생숭

❹ 두 사람은 만나기만 하면 <u>아다우웅</u> 다투기 바쁘다. _{대수롭지 아니한 일로 서로 자꾸 다투는 모양}

➡️ 아웅다웅

❺ 인형 가게에 예쁜 인형들이 <u>망망졸올</u> 진열되어 있다. _{작고 또렷한 것들이 고르지 않게 벌여 있는 모양}

➡️ 올망졸망

> **도움말▲** '올망졸망'은 귀엽고 엇비슷한 아이들이 많이 있는 모양을 나타내는 말로도 쓰여요.

❻ 매일같이 청소를 해서인지 바닥이 <u>들반반들</u> 윤이 난다. _{거죽이 아주 매끄럽고 윤이 나는 모양}

➡️ 반들반들

❼ 범인은 조여 오는 수사망에 <u>팡팡질갈</u> 어쩔 줄을 몰랐다. _{어쩔 줄을 모르고 이리저리 헤매는 모양}

➡️ 갈팡질팡

❽ 그는 고달픈 삶을 생각하며 먼 산만 <u>니두우커</u> 바라보았다. _{넋이 나간 듯이 서 있거나 앉아 있는 모양}

➡️ 우두커니

117

---

7 잘못 쓰기 쉬운 말 으레

✏️ 다음 문장에 알맞은 낱말을 찾아 ○표 하고, 바르게 써 보세요.

❶ 친구에게 화가 난 (까닥 /(까닭)) 을 물었다. _{일이 생기게 된 원인이나 조건}

➡️ 까 닭

❷ 책상에 ((으레)/ 으례) 있어야 할 책이 보이지 않는다. _{틀림없이 언제나}

➡️ 으 레

❸ 우리 가족은 빚쟁이들의 (등살 /(등쌀)) 에 이사를 갔다. _{몹시 귀찮게 구는 짓}

➡️ 등 쌀

❹ 내 친구는 푼돈에는 박하지만 ((목돈)/ 묶돈) 에는 후하다. _{한몫이 될 만한, 비교적 많은 돈}

➡️ 목 돈

❺ 따뜻한 지역에서는 일 년 ((내내)/ 네내) 농사를 짓는다. _{처음부터 끝까지 계속해서}

➡️ 내 내

❻ 우리는 ((떼려야)/ 뗄레야) 뗄 수 없는 그런 사이야. _{떼려고 하여야}

> **도움말▲** '떼다'의 '떼-'에 '-려고 하여야'가 줄어든 말인 '-려야'가 결합했으므로, '떼려야'로 써야 해요.

➡️ 떼 려 야

❼ 아버지는 (밭떼기 /(밭뙈기)) 하나 없는 가난한 집에서 태어났다. _{얼마 안 되는 자그마한 밭}

➡️ 밭 뙈 기

> **도움말▲** '밭떼기'는 '밭에서 나는 작물을 나 있는 채로 몽땅 사는 일'을 말해요.

❽ 그의 시골집은 ((바깥채)/ 바갈체) 는 동향이고 안채는 남향이다. _{한 집 안의 두 채 중 바깥쪽에 있는 집}

➡️ 바 깥 채

118

---

8 뜻이 여러 가지인 말 보내다

✏️ 밑줄 친 낱말에 알맞은 뜻을 찾아 그 기호를 써 보세요.

보내다	㉠ 사람을 일정한 곳에 소속되게 하다.
	㉡ 사람이나 물건을 다른 곳에 가게 하다.

> **도움말▲** ㉡이 '보내다'의 중심 의미예요.

❶ 어머니는 힘들게 번 돈으로 아들을 대학에 <u>보냈다</u>. (㉠)

❷ 아버지는 방학을 맞아 우리 형제를 시골에 <u>보냈다</u>. (㉡)

팔다	㉠ 자기의 이익을 위하여 배신하다.
	㉡ 값을 받고 남에게 물건이나 권리를 넘기다.
	㉢ 주의를 집중해야 할 곳에 두지 않고 다른 데로 돌리다.

> **도움말▲** ㉡이 '팔다'의 중심 의미예요.

❸ 수십 년간 살았던 집을 헐값에 <u>팔았다</u>. (㉡)

❹ 나라를 <u>판</u> 매국노는 절대 용서할 수 없다. (㉠)

❺ 우리 아이는 공부는 하지 않고 엉뚱한 곳에만 정신을 <u>판다</u>. (㉢)

돌리다	㉠ 방향을 바꾸다.
	㉡ 어떤 물건을 나누어 주거나 배달하다.
	㉢ 다른 사람에게 책임이나 공로를 넘기다.

> **도움말▲** '돌리다'의 중심 의미는 '원을 움직이며 움직이게 하다.'예요.

❻ 새로 이사를 와서 이웃집에 떡을 <u>돌리며</u> 인사를 했다. (㉡)

❼ 그는 소리가 나는 쪽으로 몸을 <u>돌려</u> 그녀를 바라보았다. (㉠)

❽ 자신의 책임을 다른 사람에게 <u>돌리는</u> 것은 옳지 못하다. (㉢)

119

밑줄 친 낱말의 알맞은 발음을 찾아 ○표 하세요.

1 지렁이도 <u>밟으면</u> 꿈틀한다. ⇨ (발브면) [밥으면]

2 수업이 끝나면 학교에 아무도 <u>없다</u>. ⇨ (업ː따) [얻ː따]

3 자전거 페달을 <u>밟고</u> 힘차게 나아갔다. ⇨ [발ː꼬] (밥ː꼬)
> 도움말 ▲ 대개 받침 'ㄼ'은 앞의 'ㄹ'로 발음돼요. 하지만 예외로 '밟-'의 경우는, 뒤에 자음이 올 때 [밥]으로 발음해요.

4 언니는 아름다운 꽃에 <u>넋이</u> 팔려 있다. ⇨ (넉씨) [넏씨]

5 강아지는 내 얼굴을 <u>핥고</u> 꼬리를 흔들었다. ⇨ (할꼬) [한꼬]
> 도움말 ▲ 겹받침 'ㄾ'은 앞의 'ㄹ'로 발음돼요.

6 일을 하고 나서 하루 <u>품삯</u>과 간식을 챙겼다. ⇨ (품싹꽈) [품싿꽈]

> **더 알아두기** 겹받침 'ㄳ', 'ㄵ', 'ㄼ, ㄽ, ㄾ', 'ㅄ'은 낱말의 끝 또는 자음 앞에서 각각 [ㄱ, ㄴ, ㄹ, ㅂ]으로 발음해요. 다만, '밟-'은 자음 앞에서 [밥]으로 발음해요.

120

밑줄 친 말을 하나의 낱말로 바꿔 써 보세요.

1 잠잠하던 바다에 갑자기 <u>바람과 물결</u>이 일었다. ⇨ 풍 랑

2 비록 몸은 떨어져 있어도 우리는 <u>같은 나라의 민족</u>이다. ⇨ 동 포

3 우리는 선배의 <u>후하게 베푸는 마음</u>에 이끌려 동아리에 가입했다. ⇨ 선 심

4 문을 세차게 두드려도 안에서는 <u>사람이 내는 소리나 기색</u>이 없었다. ⇨ 기 척

5 나는 옷을 입을 때 옷의 <u>아름답고 보기 좋은 모양새</u>를 중요하게 생각한다. ⇨ 맵 시

6 <u>신라의 옛이름</u>은 도읍의 명칭이면서 동시에 국호이기도 하였다. ⇨ 서 라 벌
> 도움말 ▲ '서라벌'은 신라의 수도인 '경주'의 옛이름이기도 해요.

25일
○ 월
○ 일

121

빈칸에 알맞은 낱말을 [보기]에서 찾아 써 보세요.

> **보기**
> 생존권   입법권   자유권   저작권
> 참정권   청구권   평등권

> 도움말 ▲ '-권(權)'은 권리를 뜻하는 말이에요.

1 학벌을 가지고 차별하는 것은 평등권 에 어긋난다.
모든 면에서 차별 없이 대우를 받을 권리

2 국회는 법을 만들 수 있는 입법권 을 가지고 있다.
법률을 만들 수 있는 권리

3 참정권 을 가진 국민이라면 누구나 투표할 수 있다.
국민이 직·간접적으로 정치에 참여할 수 있는 권리

4 국가는 개인이 간섭을 받지 않고 행동할 수 있는 자유권 을 보장한다.
국가 권력의 간섭 또는 침해를 받지 않을 권리

5 모든 국민은 법률에 의해 재판을 받을 권리인 재판 청구권 을 가진다.
일정한 행위를 요구할 수 있는 권리

6 지역에 대형 마트가 들어서면서 지역 상인들의 생존권 을 위협하고 있다.
살아 있을 권리

7 다른 사람이 만든 작품을 허락 없이 사용하는 것은 저작권 을 침해하는 것이다.
창작자가 자기가 지은 것에 대해 가지는 권리

122

다음 문장에서 설명하는 '의무'가 무엇인지를 박스에서 찾아 써 보세요.

> 납세   근로   교육
> 국방   환경 보전   양육

> 도움말 ▲ '권리'가 '어떤 일을 할 수 있는 자격'이라면, '의무'는 '마땅히 해야 할 일'을 말해요.

1 만 6세가 된 아동은 학교에 보내 공부를 시켜야 한다. ⇨ 교육 의 의무

2 기업은 벌어들인 이윤의 일부분을 나라에 내야 한다. ⇨ 납세 의 의무

3 성인이 된 사람은 직장에 가서 부지런히 일을 해야 한다. ⇨ 근로 의 의무

4 생활하면서 나온 쓰레기는 반드시 분리수거를 해야 한다. ⇨ 환경 보전 의 의무

5 부모는 자녀가 어른이 될 때까지 보살펴 기르고 키워야 한다. ⇨ 양육 의 의무

6 대한민국 국민인 남성은 나라를 지키기 위해 군대에 가야 한다. ⇨ 국방 의 의무

25일
○ 월
○ 일

123

MEMO

MEMO

MEMO

MEMO

MEMO

MEMO

[숨마 어린이®]는

중고교 상위권 선호도 1위 브랜드 **숨마쿰라우데®**가 만든
초등학생들을 위한 혁신적인 **초등 브랜드**입니다!

초등국어 어휘왕 시리즈 (초3 ~ 초6 학기별 총 8권)

"초등국어 어휘왕"은
많은 교사와 학부모들이 적극 추천하는 교재입니다.

'초등국어 어휘왕'은 학교 수업과 병행하여 학습할 수 있다는 장점이 있습니다. 기본적인 문법 개념, 맞춤법, 띄어쓰기
까지 모두 담고 있어, 교재를 한번 꼼꼼히 공부하고 나면 어휘력 향상에 많은 도움이 됩니다.　　　대명초 **정지원** 선생님

교과 어휘의 중요성은 거듭 강조해도 지나치지 않습니다. 교과서에 수록된 어휘들을 단원별로 잘 정리하여 재미있게
학습할 수 있도록 한 교재가 바로 '초등국어 어휘왕'입니다. 초등국어 어휘왕을 꾸준히 공부하면 학습의 기틀을 확실
하게 마련할 수 있습니다.　　　수내초 **우정민** 선생님

학교 현장에는 교과서에 나온 어휘를 제대로 이해하지 못해 교과 학습에 어려움을 겪는 학생들이 많습니다. 학생들이
'초등국어 어휘왕'을 통해 단원별 주요 어휘들을 예습·복습하는 것만으로도 학교 수업을 이해하는 데 많은 도움이 될
것입니다.　　　세륜초 **김민하** 선생님

쉬운 설명과 예문으로 어휘의 기본 개념을 설명해 주니 아이가 쉽게 이해하네요. 역시 어휘 학습은 암기보다는 예문을
통해 공부하는 것이 효과적이라는 생각이 듭니다.　　　초등맘 블로거 **제이드림**님

'초등국어 독해왕 시리즈'로 학습을 마친 우리 둘째 아이는 글을 읽는 데 자신감이 생겼다고 말해요. '초등국어 어휘왕'
으로 공부해서 어휘력에도 자신감을 갖게 되기를 기대해 봅니다.　　　초등맘 블로거 **오렌지자몽**님

'초등국어 어휘왕'은 국어 교과 단원과 연계되어 있어 교과서와 함께 학습하면 좋은 교재예요. '초등국어 어휘왕'으로
미리 예습을 하면 학교 수업을 더 잘 이해할 수 있겠어요.　　　초등맘 블로거 **마미브라운베어**님

어휘력은 어휘의 의미를 확인하고 실제 활용을 해 봐야 는다고 생각해요. '초등국어 어휘왕'은 교과서 어휘를 중심으
로 우리가 생활에서 많이 활용하는 어휘들을 재미있는 문제 풀이를 통해 익힐 수 있어서 부담스럽지 않게 학습할 수
있는 교재랍니다.　　　초등맘 블로거 **소안맘**님

이룸이앤비로 통하는 **HOT LINE**

CALL　　　　**FAX**　　　　**INTERNET**　　　　**E-MAIL**
02) 424 - 2410　02) 424 - 5006　www.erumenb.com　webmaster@erumenb.com

이룸이앤비의 특별한 중등 국어교재 시리즈

숨마 주니어® 중학국어 **어휘력** 시리즈

중학교 국어 실력을 완성시키는 **국어 어휘 기본서** (전3권)

- 중학국어 **어휘력 ❶**
- 중학국어 **어휘력 ❷**
- 중학국어 **어휘력 ❸**

숨마 주니어® 중학국어 **비문학 독해 연습** 시리즈

모든 공부의 기본! 글 읽기 능력을 향상시키는
국어 비문학 독해 기본서 (전3권)

- 중학국어 **비문학 독해 연습 ❶**
- 중학국어 **비문학 독해 연습 ❷**
- 중학국어 **비문학 독해 연습 ❸**

숨마 주니어® 중학국어 **문법 연습** 시리즈

중학국어 **주요 교과서 종합!**
중학생이 꼭 알아야 할 **필수 문법서** (전2권)

- 중학국어 **문법 연습 1** 기본
- 중학국어 **문법 연습 2** 심화

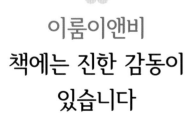